ALMAS destrozadas

SERIE PERFECTA IMPERFECCIÓN

NEVA ALTAJ

Editado por Susan Stradiotto y Andie de Beyond The Proof (www.susanstradiotto.com & www.beyondtheproof.ca)
Revisión por Yvette Rebello (yreditor.com)
Crítica del manuscrito por Anka Lesko (www.amlediting.com)
Traducción, edición y corrección al español por Sirena Audiobooks Productions LLC www.sirenaaudiobooks.com
Diseño de Portada: Deranged Doctor (www.derangeddoctordesign.com)

ORDEN DE LECTURA Y TROPES

Serie Perfecta Imperfección

Cicatrices Marcadas (Nina & Roman)
Tropes: héroe discapacitado, matrimonio falso, diferencia de edad, polos opuestos se atraen, héroe posesivo y celoso.

Susurros Rotos (Bianca & Mikhail)
Tropes: héroe con cicatrices y discapacidad, heroína muda, matrimonio arreglado, diferencia de edad, vibras de la bella y la bestia, héroe extremadamente posesivo y celoso (OTT)

Verdades Ocultas (Angelina & Sergei)
Tropes: diferencia de edad, héroe roto, solo ella puede calmarlo, vibras de: ¿quién te hizo esto?

Secretos Destruidos (Isabella & Luca)
Tropes: matrimonio arreglado, diferencia de edad, héroe posesivo y celoso, amnesia.

Caricias Robadas (Milene & Salvatore)
Tropes: matrimonio arreglado, héroe discapacitado, diferencia de edad, héroe sin emociones, héroe extremadamente posesivo y celoso (OTT).

Almas Destrozadas (Asya & Pavel)
Tropes: él la ayuda a sanar, diferencia de edad, vibras de: ¿quién te hizo esto?, héroe posesivo y celoso, él cree que no es lo suficientemente bueno para ella.

Sueños Quemados (Ravenna & Alessandro)
Tropes: guardaespaldas, amor prohibido, venganza, enemigos a amantes, diferencia de edad, vibras de: ¿quién te hizo esto?, héroe posesivo y celoso.

Mentiras Silenciosas (Sienna & Drago)
Tropes: héroe sordo, matrimonio arreglado, diferencia de edad, *grumpy-sunshine,* polos opuestos se atraen, héroe extremadamente posesivo y celoso (OTT).

Pecados Oscuros (Nera & Kai)
Tropes: grumpy-sunshine, polos opuestos se atraen, diferencia de edad, *stalker hero,* solo ella puede calmarlo.

Nota de la autora

Querido lector,

Almas Destrozadas ha sido el libro que más me ha costado escribir hasta ahora. Debido a lo delicado del tema, es diferente a los libros anteriores de la serie. *Almas Destrozadas* se centra principalmente en los personajes, y aunque hay una subtrama de mafia/crimen en él, es secundaria con respecto a la historia de los personajes. Además, si han leído los libros anteriores de la serie, sabrán que me encanta poner un poco de humor en cada historia. Sin embargo, este libro no tiene ese elemento. Trata un tema extremadamente fuerte, y la inclusión de humor habría sido de mal gusto.

Por favor, lean la advertencia en la siguiente página. Si creen que el tema puede resultarles perturbador, o que pueda ocasionarles algún daño, por favor, no lean esta historia. No se preocupen, si deciden no leerla, no se perderán ninguna revelación importante para el resto de la serie, y podrán volver al mundo de la serie *Perfecta Imperfección* en el próximo libro. Sin embargo, si aún no están seguros de si deberían leerlo, no duden en enviarme un correo electrónico o ponerse en contacto conmigo a través de TikTok o un mensaje de Instagram (mi información de contacto se encuentra en mi sitio web en www.neva-altaj.com/contact y compártanme sus inquietudes. Con mucho gusto les revelaré algunos *spoilers* para que puedan decidir si quieren leer el libro o no. Su salud mental es muy importante.

Me gustaría expresarle mi gratitud a Ruthie, quien realizó una lectura de sensibilidad de *Almas Destrozadas* y me ofreció consejos para mejorarlo, de modo que las luchas de Asya, y su trayectoria, se presenten de forma realista y con mucho tacto.

Si deciden leer *Almas Destrozadas,* espero de todo corazón que les guste la historia de Asya y Pavel. Puede que forme parte de una serie sobre la mafia, pero, sobre todo, es una historia de amor, de sobreponerse al dolor, de la fuerza de la familia y de la perseverancia del espíritu humano.

ADVERTENCIA

Este libro contiene temas que pueden resultar difíciles para algunos lectores, como una agresión sexual que aparece explícitamente en la página (incluida una violación, pero no entre los personajes principales), trastorno de estrés postraumático (TEPT), mención de intento de suicidio, mención de esclavitud sexual, mención de consumo de drogas, escenas explícitas de violencia y tortura, y escenas sangrientas. Si eres un sobreviviente de abuso sexual y/o físico, algunas partes de esta historia pueden desencadenar recuerdos que pueden causar estrés o tristeza.

Nuestra heroína afronta su situación confiando en la fuerza y el apoyo de nuestro héroe. Y, aunque creemos que el amor puede sanar, por favor, tengan en cuenta que esta historia es una obra de ficción. Les recomiendo que busquen ayuda en alguna organización de apoyo y/o con algún profesional de la salud en quien confíen. No tienen por qué sufrir en silencio.

Notas sobre los personajes

Asya: se pronuncia [ˈaːzja].

Pasha - apodo ruso (forma abreviada) de Pavel, utilizado en contextos informales.

Pashenka - una variante (diminutivo cariñoso) del nombre Pavel/*Pasha*, utilizado como expresión de cariño por familiares o relaciones cercanas.

Mishka: término cariñoso ruso que significa osito u osito de peluche.

Si necesitan refrescar su memoria sobre la jerarquía y los vínculos familiares de la Bratva, pueden consultar la página "Extras" en mi sitio web.

Notas sobre los personajes

Asya: se pronuncia [ˈaːzja].

Pasha - apodo ruso (forma abreviada) de Pavel, utilizado en contextos informales.

Pashenka - una variante (diminutivo cariñoso) del nombre Pavel/*Pasha,* utilizado como expresión de cariño por familiares o relaciones cercanas.

Mishka: término cariñoso ruso que significa osito u osito de peluche.

Si necesitan refrescar su memoria sobre la jerarquía y los vínculos familiares de la Bratva, pueden consultar la página "Extras" en mi sitio web.

Lista de reproducción

A lo largo del libro se mencionan varias composiciones clásicas. Aquí tienen la lista por si desean escucharlas.

Moonlight Sonata de Ludwig van Beethoven

Flight of the Bumblebee de Nikolai Rimsky-Korsakov

Gymnopédies de Erik Satie

In the Hall of the Mountain King de Edvard Grieg

The Rain Must Fall de Yanni

Für Elise de Ludwig van Beethoven

River Flows in You de Yiruma

ALMAS

SERIE PERFECTA IMPERFECCIÓN

destrozadas

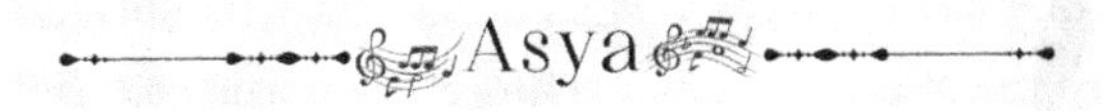

Está nevando.

El suelo está frío contra mi espalda, rozándome los omóplatos, mientras miro fijamente por encima del hombro del hombre hacia la oscura inmensidad que hay sobre mí. Todo parece borroso. No distingo claramente los diferentes copos de nieve, pero puedo sentirlos cayendo sobre mi cara. Frágiles. Delicados. Me recuerdan a las notas de una de las composiciones de Erik Satie, así que tarareo la melodía mientras un dolor punzante sigue desgarrándome las entrañas.

¿Debería doler tanto? Sé que al principio tenía que doler, sin embargo, nunca imaginé que seguiría doliendo.

El hombre gruñe y el peso desaparece de repente. Deslizo mi mano por mi estómago y por encima de la tela de mi vestido rasgado para presionar mi mano entre mis piernas. Estoy mojada. Demasiado. En exceso. Levanto la mano delante de mi rostro, mirándome los dedos cubiertos de sangre mientras la melodía sigue sonando en el fondo de mi mente.

—Bueno, terminaste siendo toda una delicia, dulzura

—se mofa la voz masculina—. Al principio le eché el ojo a tu hermana. Puede que se parezcan, pero ella tiene un aire que irradia elegancia. Los clientes tienden a preferir a las más elegantes, pero tú servirás.

Un pánico como nunca antes había sentido estalla en mi pecho, sacándome del estupor en el que había caído. Ruedo hacia un lado hasta tumbarme boca abajo en el suelo. Una oleada de energía recorre mis venas y me levanto de un salto. Y entonces, corro.

El dolor entre mis piernas es insoportable. Con cada paso que doy, siento una sacudida punzante. Me tiembla todo el cuerpo, pero no sé si es por el frío, el dolor o el *shock*. Tal vez sea el horror de lo que hizo y dijo. Me arriesgo a echar un vistazo rápido por encima de mi hombro y un leve quejido sale de mis labios cuando veo a mi violador siguiéndome y acercándose a mí.

Hay luces de alumbrado público a cierta distancia delante de mí, así que cambio de rumbo para correr en esa dirección. La tenue y lenta melodía que suena en mi cabeza se transforma en una marcha de batalla, como incitándome a ir más deprisa. El suelo está desnivelado, lo que me dificulta correr. No dejo de tropezar con las raíces de los árboles cercanos y los pequeños arbustos difíciles de ver en la oscuridad. Mi visión está borrosa, perdí mis lentes. No obstante, me concentro en la luz que puedo ver a través de las ramas como si fuera mi única salvación y sigo corriendo. La sensación de desgarro y ardor en la parte inferior de mi vientre es casi demasiado fuerte como para ignorarla, pero aprieto los dientes e intento mantener el ritmo. El aire sale de mis pulmones en pequeñas bocanadas mientras los copos de nieve caen sobre la piel expuesta de mis brazos. Tan solo faltan unos pocos metros para

llegar a la carretera. Puedo escuchar los vehículos. Solo tengo que llegar a la calle y alguien se detendrá para ayudarme.

Ya casi estoy allí cuando mi pie descalzo se engancha en algo y tropiezo, cayendo con mi cara golpeando el frío y duro suelo. ¡No! Me levanto con la intención de seguir corriendo hacia la luz que me salvará cuando un brazo me rodea la cintura por detrás.

—¡Te tengo! —El hijo de puta se ríe.

Grito, pero su otra mano me tapa la boca, ahogando el sonido.

—Parece que tendrán que reeducarte, dulzura —afirma junto a mi oreja—. Puede que vuelva a visitarte cuando te vuelvas más dócil. El jefe me deja follarme gratis una vez al mes a las que encuentro.

—¡Por favor! —gimoteo contra su mano mientras pataleo con las piernas.

—Perfecto. —Suelta otra carcajada perversa—. ¿Ves? Ya estás aprendiendo.

Intento golpearlo con mi codo y casi escapo de su agarre cuando siento el pinchazo de una aguja en un lado de mi cuello.

El hombre me hace callar.

—Tranquila. Solo unos segundos y todo mejorará.

Mi visión se nubla hasta que no queda más que oscuridad.

La música se detiene.

Capítulo
uno

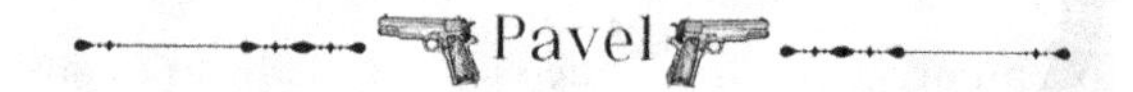

Pavel

Dos meses después

Las luces de neón iluminan a la gente amontonada, moviéndose al ritmo de la música que suena a todo volumen en los altavoces. El olor a alcohol y a otras fragancias impregna el aire, incluso aquí arriba, en mi oficina. Me acerco a la pared de cristal que va del suelo al techo y cruzo mis brazos sobre mi pecho, observando a la multitud abajo en la pista de baile. Aún no es medianoche, pero está abarrotada y apenas hay espacio para respirar.

Un alboroto en la esquina más alejada de la pista atrae mi atención. Vladimir, uno de los porteros, sujeta a un hombre por detrás de la camisa y lo arrastra hacia las escaleras que llevan a la planta superior. Si el hombre hubiera empezado una pelea, los de seguridad lo habrían echado. Debe de ser algo más serio si me lo traen a mí.

La puerta detrás de mí se abre cinco minutos después.

—Señor Morozov. —Vladimir empuja al hombre dentro de la oficina—. Atrapamos a este traficando frente a los baños.

Camino hacia el hombre tirado en el suelo y pongo la suela de mi zapato derecho sobre su mano.

—¿Distribuyendo drogas en mi club? —El hombre gimotea e intenta quitar mi pie con su otra mano, pero aprieto más—. Habla.

—Solo eran unas pastillas que me dio un amigo. —Se atraganta y me mira—. Dijo que era algo nuevo que había conseguido en su trabajo.

Ladeo la cabeza.

—¿En su trabajo? ¿A qué se dedica?

—No lo sé. Nunca habla de ello. —Vuelve a intentar liberar su mano, aunque no lo consigue—. Lo siento mucho. No volverá a ocurrir.

Le pido a Vladimir que me dé la bolsita de plástico que sostiene y le echo un vistazo. Dentro hay una docena de pastillas blancas.

—¿Has probado esto?

—No... Yo . . . No consumo drogas —replica el hombre, y luego grita cuando ejerzo más presión sobre su mano.

—Así que las trajiste aquí para venderlas. Muy inteligente. —Le devuelvo la bolsa de plástico a Vladimir—. Llévale esto a Doc, tenemos que averiguar qué hay en esa mierda.

—¿Qué hacemos con el traficante? —Vladimir asiente hacia el hombre en el suelo.

Por la mirada de pánico del hombre y el temblor de su mano, no tardaría mucho en quebrarlo. Podría llevarlo al almacén e interrogarlo. Sin embargo, en la *Bratva* de Chicago tenemos reglas, y mi ámbito de trabajo no incluye la extracción de información.

—Creo que disfrutaría de una pequeña charla con

Mikhail. Llévatelo de aquí —ordeno y me doy la vuelta para volver a la pared de cristal que da a la pista de baile.

Escucho gritos y mucho bullicio detrás de mí mientras Vladimir arrastra al hombre. El alboroto cesa cuando la puerta se cierra tras ellos. Observo a la gente que se mezcla y baila, y me detengo en la cabina de la esquina izquierda. Yuri, el hombre al mando de los soldados de la *Bratva*, está sentado en el centro con una mujer de cabello rubio a su lado. A su otro lado, riéndose de algo, están los hermanos Kostya e Ivan, que llevan las finanzas en nuestra organización. Parece que algunos de los chicos tienen la noche libre.

Suena el teléfono que tengo en el bolsillo. Lo saco y veo el nombre de Yuri en la pantalla.

—¿Pasa algo? —pregunto al tomar la llamada.

—No —expresa mirándome desde la cabina—. Baja a tomar algo con nosotros.

—Estoy trabajando.

—Siempre estás trabajando, *Pasha*. —Sacude la cabeza.

Tiene razón. A menos que esté durmiendo o haciendo ejercicio, estoy en uno de los clubes de la *Bratva*. Pasar tiempo en mi apartamento vacío desde que me mudé de la mansión Petrov cuando la esposa del *Pakhan* tuvo una hija siempre ha sido difícil. Pero en los últimos años, se ha vuelto aún más. El hecho de llevar siete años dirigiendo dos clubes nocturnos, pasando la mayor parte del tiempo rodeado de gente, debería bastar para que quisiera buscar la soledad. Aunque no es así. Solo me recuerda que no tengo a nadie que me espere en casa.

—Vamos, solo un trago. —Vuelve a insistir Yuri.

La risa profunda de Kostya llega a través de la línea. Parece que está bromeando otra vez. Siempre tan bromista.

—Otro día, Yuri —pronuncio.

Termino la llamada, pero no me alejo de la pared de cristal, observando a mis camaradas divirtiéndose. Quizá debería acompañarlos. A veces estaría bien relajarse y hablar de tonterías, mas nunca puedo. El problema es que, en las pocas ocasiones en que he salido con ellos, he acabado sintiéndome aún más solo.

La *Bratva* es lo más parecido a una familia que he tenido en mi vida. Sé con certeza que cada uno de ellos recibiría una bala por mí. Como yo lo haría por ellos. Y aún así, incluso después de diez años en la *Bratva,* no puedo permitirme acercarme demasiado a mis amigos. Supongo que con mi pasado, es de esperarse. Cuando te abandonan las personas que deberían haber sido tu refugio seguro, es difícil permitirte acercarte a alguien porque, en algún momento, ellos también se irán.

Tarde o temprano, todos se van.

Permanezco allí un largo rato, viendo a los chicos reír, luego me doy la vuelta y vuelvo al trabajo.

Asya

Entro a la oficina y me detengo en el centro de la habitación. Dolly, la encargada de las chicas, está sentada detrás de su escritorio, con su atención fija en el pequeño cuaderno forrado de cuero que tiene enfrente.

—Vas a entretener al señor Miller esta noche —informa mientras anota algo en su libreta—. Prefiere hacerlo lento. Empieza con un masaje y sigue a partir de ahí.

Asiento con la cabeza.

—Sí, Dolly.

—*Ah,* y nada de mamadas. Al señor Miller no le gustan. —Cierra el cuaderno y camina alrededor del escritorio, sus tacones repiqueteando contra el linóleo. Inclino la cabeza y enfoco mi mirada hacia el suelo para que no me vea los ojos. Sus brillantes tacones rosas entran en mi campo visual cuando se detiene frente a mí—. Es un cliente muy importante, así que asegúrate de satisfacer todas sus necesidades. Si le gustas, puede que te vuelva a solicitar. Tiene modales muy suaves. No suele golpear con frecuencia a las chicas, lo cual es raro, como ya sabes. Y no olvides el condón. Ya conoces las reglas.

Vuelvo a asentir con la cabeza y levanto la mano, con la palma hacia arriba. Dolly coloca una sola pastilla blanca en mi palma.

—¿Y el resto? —inquiero—. Necesito más. Por favor.

—¡Siempre con la misma cantaleta con ustedes, chicas! —brama—. Tendrás el resto cuando hayas terminado con el cliente. Ya lo sabes.

—Solo una más —suplico.

—¡Dije que cuando termines! —grita y me da una bofetada en la mejilla—. Vuelve a tu habitación y asegúrate de estar lista en una hora. Llevas casi una semana fuera de servicio. Estamos perdiendo dinero.

—Sí, Dolly —afirmo en voz baja y me giro hacia la puerta.

—*Oh,* y no olvides quitarte los lentes. Al señor Miller no le gustan.

—Por supuesto —aseguro.

Después de salir de la oficina de Dolly, giro a la izquierda y me apresuro por el pasillo, pasando las puertas de otras habitaciones. Soy una de las cinco chicas que hay aquí actualmente. Antes éramos seis, pero hace dos días una de ellas desapareció. Como intento no hablar con nadie, no la conocía más allá de haberla visto de pasada. Recuerdo que era rubia y usaba el cabello largo trenzado sobre la espalda. Nadie sabe lo que pasó, pero escuché a las demás hablando de su encuentro con un cliente que es conocido por su brusquedad.

Llego a la última puerta del pasillo y entro. Tras echar un rápido vistazo para asegurarme de que mi compañera de cuarto no está, me apresuro hacia el pequeño baño que hay al otro lado de la habitación. Cierro la puerta y me giro hacia el retrete.

Abro mi mano derecha y miro fijamente la pastilla blanca que tengo en la palma. Una cosa tan pequeña. De aspecto inofensivo. ¿Quién diría que algo tan pequeño puede mantener a una persona voluntariamente esclavizada, viviendo en una prisión sin barrotes? Sería tan fácil metérmela en la boca y solo… dejarme llevar.

Siempre es lo mismo. Una pastilla antes de ver al cliente. Tres más después de terminar. La primera es para mantenerme drogada y, por lo tanto, más obediente. No hace que duela menos, sin embargo, hace que no me importe. También es altamente adictiva. Si la tomo, eso garantizará que vuelva corriendo por las tres pastillas siguientes para satisfacer el ansia provocada por la primera. El ciclo se repetiría. Una y otra vez. Manteniendo mi cerebro aturdido, constantemente en algún nivel de euforia, necesitando más cada vez, incapaz de pensar en otra cosa.

Una adicta, eso es en lo que me he convertido. Al igual que el resto de las chicas de aquí.

Aprieto la pastilla en mi mano, luego la tiro en el inodoro y tiro de la cadena. La pastilla da dos vueltas antes de desaparecer por el desagüe, pero yo sigo ahí de pie, observando fijamente al retrete.

Han pasado seis días desde que dejé de tomar las drogas. Ocurrió por accidente. La semana pasada me enfermé de gripe estomacal y durante tres días vomité sin parar. Mi cuerpo no podía retener nada, incluidas las pastillas que Dolly seguía metiéndome por la garganta. Cuando me sentí mejor, mi cerebro estaba libre del estupor inducido por los medicamentos por primera vez en dos meses.

Ese día fue el más duro. Aunque no dejaba de tener frío, Dios, no recuerdo haber pasado tanto frío en mi vida, sudaba. Todo me dolía. La cabeza, las piernas, los brazos. Era como si me hubieran destrozado todos los huesos del cuerpo. Y luego vinieron los temblores. Intenté controlarlos por miedo a romperme los dientes, pero no pude. Dolly pensó que era la fiebre, sin embargo, no era así. Era el síndrome de abstinencia. Las ganas de tragarme las pastillas que me había dado eran demasiado intensas como para luchar contra ellas, y lo único que me impedía sucumbir era mi terquedad.

Después de eso, todo fue más fácil. Seguía teniendo escalofríos de vez en cuando, aunque no era ni remotamente parecido a lo que experimenté aquel primer día sin drogas, y mis extremidades y mi cabeza me dolían mucho menos. Fingí que me tragaba las pastillas y me aseguré de actuar igual que antes, pidiendo más todo el tiempo, mientras tiraba las drogas en secreto. Sorprendentemente, mi engaño funcionó. Ahora solo es cuestión de cuánto tiempo podré seguir fingiendo antes de que alguien se dé cuenta.

Me quito los lentes y los dejo junto al lavamanos. Ni siquiera tienen la graduación correcta, son solo algo que Dolly me dio para que dejara de tropezar y entrecerrar los ojos. Los míos se perdieron durante mi última noche en New York.

No le presto atención al recuerdo, me quito la ropa y entro en la ducha. Pongo el agua a una temperatura abrasadora, me meto bajo el flujo y cierro los ojos. En la pequeña repisa a mi derecha hay una toallita. La tomo y me froto la piel hasta enrojecerla, pero no sirve de nada. Sigo sintiéndome sucia.

No entiendo por qué no he luchado más. Sí, las drogas mantenían mi cerebro en un estado aturdido, pero siempre he sido consciente de lo que estaba pasando. Aun así, simplemente... me rendí. Dejé que me vendieran, noche tras noche, a hombres ricos dispuestos a pagar una enorme fortuna por follarse a una muñeca hermosa y elegante. Porque eso es lo que somos. Nos depilan, nos arreglan las uñas y el cabello, y se aseguran de que vistamos ropa cara. El maquillaje completo es obligatorio, el cual se corre bastante bien cuando una chica llora después de la sesión. A muchos hombres les gusta vernos llorar.

Yo no he llorado ni una vez. Tal vez algo se rompió dentro de mí esa primera noche. Un millón de partículas de mi alma destrozada se mezclaron con la nieve y la sangre. Simplemente ya no me importaba.

El chofer viene a recogerme una hora más tarde y, durante el trayecto, sin expresión miro a través de la ventanilla a la gente que corre por las aceras desconocidas. Cuando me secuestraron, al principio pensé que me tenían retenida en algún lugar de las afueras de New York, pero ahora sé que terminé en Chicago. Mientras veo pasar la "vida normal", por primera vez en dos meses, siento la tentación de agarrar la manija e intentar escapar. Me asquea darme cuenta de que he tardado tanto en pensar en huir. Pero ahora me lo planteo. Quiero volver a sentirme limpia. Puede que eso nunca suceda, no obstante, quiero intentarlo.

He escuchado lo que les hacen a las chicas que intentan escapar. Mientras seamos obedientes, nos dan las pastillas, porque a los clientes que pagan bien no les gustan las mujeres con marcas de agujas en el cuerpo. Sin embargo, en el momento en que una de nosotras crea problemas, cambian a la jeringa. Y se acabó. ¿Fue eso lo que le pasó a la chica que desapareció?

Me reclino en el asiento, cierro los ojos y exhalo. Seguiré fingiendo que sigo siendo una zorrita obediente, dispuesta a soportarlo todo y a esperar mi oportunidad. Tendré una sola oportunidad, así que será mejor que me asegure de que valga la pena.

Siempre usan traje.

Miro al hombre sentado en el borde de la cama de la lujosa habitación a la que me acompañó el chofer. De unos cincuenta y tantos. Con entradas en el cuero cabelludo. Viste un impecable traje gris y un costoso reloj en la muñeca. Dos teléfonos en la mesita de noche. Probablemente sea un banquero. Otra vez.

La habitación es la esperada para un cliente como él. Pesadas cortinas de lujo de un rojo intenso, el color de la sangre, y una cama con dosel y sábanas de seda negra para ocultar las posibles manchas indeseadas. Una lámpara alta en cada esquina y un bar móvil de madera surtido de diferentes licores. Solo las mejores marcas, por supuesto. Estuve en esta habitación una vez antes, pero recuerdo que el baño es igual de sofisticado, con una gran bañera y una ducha. Debajo del lavabo hay un botiquín de primeros auxilios. El chofer lo utilizó porque el cliente con el que estuve aquella noche me dejó un feo corte en el labio.

El señor Miller me hace un gesto para que me acerque. Reduzco la distancia que nos separa y me coloco entre sus piernas, intentando desprenderme de lo que vendrá después. Con las pastillas era mucho más fácil.

—Bonita —me elogia y me pone la palma de la mano en el muslo, justo debajo del dobladillo de mi corto vestido blanco. Parece que es el color favorito de todos los clientes—. ¿Cuántos años tienes?

—Tengo dieciocho, señor Miller.

—Tan joven. —Su mano viaja hacia arriba, jalando mi vestido—. Llámame Jonny.

—Sí, Jonny —murmuro.

—Dolly dijo que tu nombre es Daisy. Pequeña y dulce. Muy apropiado. —Un escalofrío recorre mi cuerpo al escuchar el nombre que me pusieron porque el mío les parecía demasiado raro. Lo detesto. Solamente de escucharlo me dan ganas de vomitar.

El señor Miller levanta mi vestido por encima de mi cabeza y lo tira al suelo. Cae como un pequeño bulto blanco a mis pies. No sé por qué, pero cuando los clientes me quitan el vestido siempre me duele más que cuando me quitan las bragas. Cada vez que ocurre, siento como si me arrancaran la última capa de mi defensa. Me estremezco.

—¿Te parezco atractivo, Daisy? —Me rodea la cintura con las manos.

—Claro que sí, Jonny —expreso automáticamente. Me lo habían grabado a puñetazos en el cerebro durante mi primer día de adiestramiento.

—*Hmmm…* —Sus manos aprietan mi cintura y luego tiran de mi tanga de encaje, también blanca, hacia abajo por mis piernas—. Normalmente me gusta hacerlo lento. Pero eres demasiado dulce. No creo que pueda esperar.

En cuanto me quita la tanga, me tira sobre la cama. Me tumbo, inmóvil, y veo cómo se retira la chaqueta. Después continúa la corbata y mi cuerpo se estremece cuando afloja el nudo. Uno de mis clientes anteriores me ató la corbata al cuello mientras me follaba por detrás, jalando de ella cada vez que me penetraba, impidiéndome respirar. Cierro los ojos aliviada cuando el señor Miller tira la prenda al suelo. Empieza con su camisa de vestir, pero solo se desabrocha los dos primeros botones y pasa a sus pantalones. Mi respiración se acelera. Al menos se deshizo la corbata. Puedo soportar la camisa.

—Abre bien las piernas, abejita —ordena mientras se pone el condón. El tipo que dirige la organización es muy estricto con la protección, no obstante, se trata más de garantizar la seguridad de los clientes que la de las chicas.

El señor Miller se arrastra por la cama hasta que se cierne sobre mí. La vena de su cuello palpita. Me mira con los ojos muy abiertos, luego inclina su cabeza y me lame el pecho desnudo. Aprieto los dientes, tratando de no reaccionar. No acaba bien cuando reacciono. Espero que suene la música para que esto sea más fácil de ignorar. Pero no llega. La última vez que escuché la música fue aquella noche nevada. A veces, cuando estoy en la cama intentando dormir, tamborileo con los dedos sobre la mesita de noche como si eso me ayudara a llamar a la melodía. Sin embargo, ya no la oigo como antes.

Las manos carnosas del señor Miller me agarran por dentro de los muslos y me separan las piernas. Al momento siguiente, su polla me penetra de golpe.

Me duele. Siempre duele, pero sin las drogas que me confunden, es mil veces peor. Levanto la cabeza y miro al techo mientras me penetra de nuevo. En momentos así, intento desconectarme, alejarme mentalmente y acercarme a un recuerdo feliz, con la esperanza de desprenderme de otra violación.

Gracias a Dios, un recuerdo aparece en mi mente.

Es el verano anterior a mi segundo año en la preparatoria. Estoy sentada en el jardín, leyendo, mientras mi hermana gemela persigue a su perro maltés, Bonbon, por el césped. Pobre animal. Hasta le puso un moñito de seda amarilla en la cabeza. Cuando Sienna dijo que quería un perro, estaba segura de que Arturo diría que no. A nuestro hermano no le gusta tener animales dentro de la casa. No sé cómo consiguió convencerlo de que la dejara tener uno.

—¡Asya! —exclama Sienna—. ¡Ven!

Le hago un gesto con la mano y sigo leyendo. El misterio del asesinato apenas se está resolviendo y estoy ansiosa por ver quién es el culpable. Estoy segura de que es…

Un chorro de agua fría me salpica el pecho. Grito y me levanto de la silla, mirando a mi hermana. Sostiene una manguera para regar en la mano y se ríe como una loca.

—¡Estás muerta! —Me río entre dientes y corro hacia ella. Cuando la alcanzo, aún está retorciéndose de la risa. Agarro la manguera, jalo el cuello de su blusa y envío el chorro de agua por su espalda.

Sienna chilla, se da la vuelta y agarra la manguera para intentar dirigirla hacia mí, aunque al final termina mojándose la cara. Todavía me estoy riendo cuando levanto mi mano libre para limpiarme el agua de los ojos, pero me detengo en seco. Tengo la mano roja. Miro la manguera que tengo en la mano. Está derramando líquido rojo sobre el suelo alrededor de mis pies. Sangre.

Abro los ojos y miro fijamente el techo blanco mientras el olor a sudor se infiltra en mis fosas nasales. Sí... el truco del recuerdo feliz nunca funciona tan bien.

El señor Miller sigue embistiéndome, con su respiración agitada golpeándome la cara y gotas de sudor goteando sobre mí. Gime con fuerza, el sonido me recuerda al de un enorme animal enfurecido. De repente, se detiene y se retira. Su peso desaparece. Levanto la cabeza de la almohada y lo veo desplomado de rodillas al pie de la cama, con sus manos agarrándose el pecho. Respira con dificultad. Tiene la cara roja y me mira con los ojos muy abiertos.

—Las... píldoras —señala entrecortadamente—. En... la chaqueta.

Lo miro boquiabierta unos instantes antes de levantarme de la cama y correr hacia su chaqueta, que había dejado en el respaldo de una silla. Encuentro un frasco de color naranja en el bolsillo izquierdo y lo saco. El señor Miller está desplomado en cuatro patas, intentando respirar.

—Dámelas... —Jadea, levantando el brazo en mi dirección.

Miro la botella que tengo en la mano y vuelvo a mirar hacia arriba, observando su cara desencajada y sus ojos llorosos. Lentamente, doy un paso atrás. Los enormes ojos del señor Miller me fulminan con la mirada. Retrocedo unos pasos más hasta sentir la pared a mis espaldas.

Y entonces, observo.

Dura menos de dos minutos. Jadeos. Respiraciones superficiales y entrecortadas. Y finalmente, un sonido de asfixia.

El señor Miller se desploma de lado sobre la cama, con la cabeza inclinada hacia mí y los ojos desorbitados. Parece que intenta hablar, pero las palabras son confusas. No entiendo lo que dice, pero lo veo en su rostro. Está suplicando. No me muevo de mi lugar, sujetando el frasco de medicamentos con la mano, y veo cómo un hombre se muere ante mis ojos. Cada vez que respira, siento que los restos de mi alma, o lo que queda dentro de mí, mueren un poco más. Hasta que no queda nada, solo un agujero negro.

La puerta a mi izquierda se abre de golpe y mi chofer irrumpe en el interior. Corre hacia el cuerpo del señor Miller, que yace inmóvil sobre la cama, y coloca los dedos sobre el cuello del hombre.

—¡Carajo! —revira el chofer y voltea hacia mí—. ¿Qué hiciste, perra?

Lo ignoro. Por alguna razón, no puedo apartar mi mirada del cuerpo sobre la cama. Sus ojos siguen abiertos y, aunque no puedo verlos con claridad, parece que aún me miran directamente. Recibo una bofetada en la cara.

—¡Despierta, maldita sea! Tenemos que irnos —ladra el conductor.

Como no me muevo, me agarra del brazo y empieza a sacudirme. Un momento después, siento el pinchazo de una aguja en el brazo.

¡No!

Ese pinchazo despierta lo que queda de mi instinto de supervivencia. El frasco de pastillas se me cae de la mano. Jalo el brazo, me doy la vuelta y salgo corriendo al pasillo.

Es bien entrada la noche y el interior de este lugar parece estar vacío. Las dos franjas amarillas anchas que recorren la alfombra me ayudan a orientarme y las sigo, recorriendo varios pasillos en busca de una salida. Se me nubla la vista y empiezo a marearme. Cada paso que doy es más difícil que el anterior, y siento como si las piernas me pesaran como bloques de cemento. Doblo la esquina y sigo corriendo hasta que veo una puerta al fondo. Encima hay un cartel iluminado en verde. No puedo leer las letras, pero solo puede ser una cosa. La salida.

En cuanto llego a la puerta, agarro la manija y salgo corriendo. Es una salida de emergencia. Veo doble y la cabeza me da vueltas, mareándome a cada segundo que pasa, pero al tercer intento consigo agarrarme a la barandilla. Agarrándome al hierro frío, bajo los escalones a tientas, milagrosamente sin caerme. En cuanto mis pies descalzos tocan el suelo, giro a la izquierda y corro hacia un callejón oscuro. Suena el claxon de un coche a mi derecha, y me giro justo a tiempo para ver unas luces cegadoras que me iluminan la cara antes de que me trague la oscuridad.

Pavel

—¡Mierda!

Abro la puerta del coche y salgo corriendo hacia la parte delantera de mi vehículo. En la carretera, apenas a unos treinta centímetros del parachoques delantero, yace una mujer completamente desnuda. Sé que no la atropellé. Logré detener el auto antes de golpearla, pero parece que algo anda mal con ella. Su cuerpo tiembla como si tuviera fiebre.

Me agacho y la tomo en mis brazos. El olor a colonia masculina rancia invade mis fosas nasales mientras ajusto mi agarre. La piel de la mujer está inusualmente fría y tiembla tanto que, si no la tuviera agarrada al pecho, se me resbalaría.

Me doy la vuelta y la llevo hasta el auto. Desplazando su liviano peso entre mis brazos, consigo alcanzar la manija y abrir la puerta trasera. No tengo ninguna manta, así que, cuando la bajo con cuidado al asiento, me quito la chaqueta y cubro con ella el cuerpo desnudo de la chica. Inmediatamente se acurruca en posición fetal mientras los temblores siguen sacudiendo su delgada figura. En cuanto vuelvo a ponerme al volante, presiono la marcación rápida de mi teléfono y piso el acelerador.

—¡Doc! —ladro en cuanto contesta la llamada—. Tengo a una chica en mi auto que parece estar teniendo convulsiones, o algo así. ¿Debo intentar hacer algo o conducir directamente a un hospital? ¿O te la llevo a ti? Estoy a cinco minutos de distancia.

—¿Síntomas?

—Está temblando mucho, y tiene espasmos en los brazos y las manos. —Veo por encima de mi hombro—. No parece coherente.

—¿Tiene espuma en la boca? ¿Vomita?

Vuelvo a mirar a la chica.

—No. De momento no.

—Tráela aquí —ordena—. Si vomita, tienes que parar el vehículo y asegurarte de que no se ahogue. Podría ser un ataque epiléptico o una sobredosis.

—Bien. —Tiro el teléfono en el asiento del pasajero.

Por suerte, hay poco tráfico, así que tardo menos de cinco minutos en llegar al edificio donde el Doc tiene una pequeña clínica en la planta baja, justo debajo de su apartamento. Como la mayoría de las veces hace visitas a domicilio para la *Bratva,* solamente la utiliza cuando alguien necesita un ultrasonido o una radiografía.

Me estaciono enfrente y levanto a la chica del asiento trasero. Sus extremidades aún se mueven incontrolablemente, pero no está vomitando. La llevo en brazos, envuelta aún en mi chaqueta, y corro hacia la puerta de cristal que el Doc mantiene abierta.

—Ponla en la camilla —indica y corre hacia el gabinete médico—. ¿Por qué está desnuda?

—Ni idea. Salió corriendo de un edificio, desorientada, y se desplomó en medio de la calle. Casi la atropello con mi coche.

Doc se acerca con una jeringa, se inclina sobre la chica y le abre el párpado.

—Sobredosis. Apártate. —Retrocedo un par de pasos y veo cómo le pone una inyección de algo, y luego procede a ponerle una vía con suero en el brazo—. Tomaré una muestra de sangre para saber qué tomó. Sin embargo, no tendré los resultados antes de mañana. Me imagino que se trata de una de las drogas más comunes, así que le di algo para contrarrestarla. Revertirá los efectos. —Toma una manta y la coloca sobre la chica—. A menos que sea una drogadicta intensa, debería estar bien en un par de horas. Llévala a un albergue o algo así y déjala para que se ocupen de ella.

Miro a la chica. Unos largos mechones castaño oscuro caen sobre su rostro, ocultándolo a la vista. Sigue temblando bajo la manta, pero ya no se retuerce. Su respiración también suena un poco mejor. ¿Qué demonios le pasó?

—La llevaré a mi casa esta noche —declaro sin apartar los ojos de la chica—. Cuando esté mejor por la mañana, la llevaré a su hogar.

—¿Hablas en serio?

—Sí. —Levanto la vista y me encuentro con Doc mirándome fijamente.

—No puedes llevarte a una drogadicta a tu casa.

—No la dejaré en un albergue como si fuera un saco de basura, Doc. —Uno de los brazos de la chica está colgando. Tomo su pequeña mano y la meto bajo la sábana junto a su costado—. Y de todas formas será solo por esta noche.

Doc suspira y sacude la cabeza.

—Si es una adicta, que estoy bastante seguro de que lo es, sufrirá síndrome de abstinencia. Con la medicina que le di, probablemente empezará enseguida. Dependiendo de lo que haya tomado y de lo mucho que consuma, podría tardar entre un par de días y dos semanas en pasársele.

—Aunque está desnuda, tiene el cabello limpio y las uñas cuidadas. Es más probable que alguien la drogara mientras intentaba violarla, o que escapara de una pareja que la maltrataba.

El Doc me observa y luego asiente.

—De acuerdo. Veré si tengo un *kit* de violación. También haré un examen básico. Espera afuera.

Echo un vistazo a la chica, que parece dormir, y me dirijo hacia la salida. Ha comenzado a nevar. Me apoyo contra la pared y miro fijamente la calle que hay frente a mí, preguntándome qué demonios le habrá pasado a esa chica.

Quince minutos después, el Doc sale y se pone a mi lado.

—¿Y bien? —pregunto.

Al principio no dice nada, solo mira hacia la noche.

—¿Doc?

—No *intentaron* violarla —expone finalmente—. La destrozaron, Pavel.

Mi cabeza se inclina hacia un lado.

—Explícate.

—Alguien la destrozó; sin duda hay indicios de que la forzaron. Parece que tampoco es la primera vez. Tiene cicatrices más viejas. Tomé muestras para las pruebas de ETS e hice una prueba de embarazo. —Suspira y se quita los anteojos—. La atendí lo mejor que pude, pero necesitará analgésicos. Voy a ver si tengo algo que no sea adictivo que pueda tomar y que no reaccione con los medicamentos que le di para revertir la sobredosis. También tiene moretones, pero parecen de hace varios días. Hay una sola marca de aguja en su antebrazo, y es reciente. Probablemente le inyectaron lo que le provocó la sobredosis.

—Envíame los resultados de las pruebas en cuanto los tengas —ordeno apretando los dientes.

—¿De verdad la llevarás a tu casa?

—Sí. —Vuelvo a entrar.

—Pavel —me llama a Doc—. No sé cuál será su estado mental cuando despierte. No le preguntes qué pasó, solo llévala con su familia. Y diles que necesitará ayuda psicológica.

—De acuerdo. —Asiento con la cabeza.

Me siento en el sillón reclinable y observo a la chica dormida acurrucada en medio de mi cama. Al principio, pensé en colocarla en uno de los otros dos dormitorios, sin embargo, decidí no hacerlo. Es mejor que esté cerca por si su estado empeora.

Parece estar mejor. Su respiración suena normal y los temblores han cesado por completo. Inclino la cabeza y observo su pequeño cuerpo bajo el grueso edredón. Sigue desnuda bajo las sábanas. No quería arriesgarme a moverle los brazos y las piernas para ponerle una de mis pijamas. ¿Y si se despertaba y pensaba que quería hacerle daño?

Sujeto los lados del sillón reclinable y respiro profundamente. ¿Qué clase de bastardo enfermo abusaría así de una mujer? Especialmente de alguien tan pequeña. Cierro los ojos e intento dominar el impulso de correr hacia mi coche, conducir hasta donde la encontré y buscar al hijo de puta que la lastimó. Aunque no puedo arriesgarme a dejarla sola. ¿Y si tiene otro ataque? Pero encontraré al hombre que se atrevió a golpearla y violarla, o cualquier otra tortura a la que el maldito enfermo la sometió. Y lo haré pagar. Me agarro con más fuerza a los reposabrazos y escucho el leve crujido de la madera. La chica dormida se agita y suelto el sillón, sin querer despertarla.

No sé qué me hizo decidir traerla a mi casa. Podría haberla dejado fácilmente en un hospital y decirles que me enviaran la factura de los servicios. No tiene sentido, sin embargo, no pude atreverme a abandonarla en algún sitio. Hacía años que no sentía ningún tipo de conexión con una persona, ni siquiera con las más cercanas a mí. Pero ver a esta chica, tan herida y desprotegida, despertó algo en lo más profundo de mi alma. La necesidad de protegerla de cualquier cosa que pudiera intentar herirla de nuevo surgió visceralmente, pero con ella, también tuve el impulso de destruir. Es extraño que, después de tantos años, esta sed de violencia vuelva a surgir dentro de mí.

La chica rueda hacia el otro lado y una de sus piernas sale de debajo del edredón. Me levanto y la vuelvo a meter bajo las sábanas.

De momento parece estar bien, profundamente dormida,

así que decido darme una ducha rápida. Dentro del armario, al otro lado de la habitación, uso la linterna de mi teléfono para encontrar un pantalón de pijama negro y unos bóxer. Ya estoy en la puerta del baño cuando se me ocurre algo y vuelvo al armario para agarrar también una camiseta. Cuando estoy en casa, suelo usar únicamente el pantalón de pijama, no obstante, la chica podría asustarse si ve toda la tinta que tengo en el torso. Probablemente se asustará cuando se despierte en un lugar extraño, y no hay necesidad de angustiarla más de lo necesario.

Pongo el agua fría en la ducha, con la esperanza de que me ayude a deshacerme de las persistentes ganas de matar a alguien. No sirve de mucho. Aprieto las palmas de mis manos contra la pared de azulejos, levanto la barbilla y dejo que el flujo de agua fría me dé justo en la cara. Mientras el agua helada recorre mi cuerpo, escarbo en mi cerebro, sacando el recuerdo de una de mis últimas peleas. La más violenta, ya que necesito alguna forma de lidiar con este impulso de destruir a alguien. Mi oponente metió un cuchillo en el *ring* y consiguió rajarme el costado dos veces antes de que lo dominara. Me aseguré de que supiera lo que pensaba de sus acciones rompiéndole la espalda y enterrándole su propia navaja hasta el mango en la base del cráneo. La violencia no es algo que me guste, pero cuando me encuentro en la guarida de una bestia, inevitablemente me convierto en la misma bestia contra la que peleo. No es más que supervivencia. Revivir esa escena ayuda a alimentar mi sed de destrucción. Al menos un poco.

No tardo más de cinco minutos en el baño, así que espero que la chica siga durmiendo profundamente. Sin embargo, está dando vueltas en la cama y su cuerpo tiembla. Me acerco corriendo y presiono su frente con la palma de mi mano, notando que está caliente. Murmura algo que no puedo descifrar porque sus dientes castañean demasiado. Inclino la cabeza para intentar captar lo que dice.

—Frío... —gime su vocecita—. Mucho, mucho frío.

Tomo la manta doblada al pie de la cama, se la coloco encima y agarro mi teléfono de la mesita de noche.

—Doc —digo en cuanto contesta—. La chica tiene fiebre y tiembla como una hoja, dice que tiene frío.

—Síndrome de abstinencia —señala—. Es una reacción normal.

—¿Qué puedo hacer?

—Nada. Su cuerpo necesita pasar por eso. Estará mejor en un par de horas. No obstante, puede volver a ocurrir en los próximos días. Asegúrate de decírselo a la familia mañana.

—De acuerdo. ¿Algo más?

—Probablemente mañana se sienta mal, pero necesita beber líquidos. Intenta darle agua en cuanto se despierte —instruye—. *Oh*, y, Pavel, probablemente no tenga que decirte esto, pero sería mejor si no la tocas o entras en su espacio personal. Si se asusta en la mañana, llámame e iré a buscar a Varya. Ella puede quedarse con la joven hasta que su familia venga a recogerla.

—Gracias.

Cuelgo el teléfono y vuelvo a observar a la chica. Sigue temblando, pero no creo que deba cubrirla con nada más. Tendrá demasiado calor. Vuelve a murmurar, pero está de espaldas a mí, así que es difícil oírla. Apoyo una rodilla en la cama y me acerco para intentar escuchar. Está llorando. Los sollozos son muy bajos, entrecortados, y ese sonido es tan jodidamente desgarrador.

El doctor me dijo que no debería intentar tocarla, sin

embargo, ahora está delirando y probablemente no sepa lo que pasa a su alrededor. No puedo soportar la idea de seguir sin hacer nada. Estiro la mano y coloco la palma en su espalda, por encima de la manta, y la acaricio ligeramente. No se aparta, así que me recuesto en la cama detrás de ella, asegurándome de que mi cuerpo no toque el suyo, y sigo acariciándole la espalda. Al cabo de un rato, deja de llorar. Retiro mi mano, con la intención de levantarme, cuando la chica se da la vuelta de repente y entierra su cara en mi pecho. Me quedo allí tendido, sin moverme, sin atreverme a tocarla, pero también incapaz de apartarme. Su aliento caliente me acaricia el pecho mientras ella yace con sus manos cerradas en puños y metidas entre nuestros cuerpos. Sigue temblando.

Un susurro apenas audible llega a mis oídos.

—Más. —La miro, sin saber qué quiere decir con eso—. Por favor.

La forma en que lo dice me destroza. Es como la llamada de auxilio de una persona que se está ahogando. Lentamente, coloco la palma de mi mano donde creo que está la parte baja de su espalda. No puedo asegurarlo, ya que está envuelta bajo las sábanas. Muevo mi mano por su espalda, arriba y abajo. La chica suspira, se acurruca más cerca de mí y hunde su nariz en el pliegue de mi cuello.

Ya debe de haber amanecido, pero no estoy seguro porque cerré las pesadas cortinas sobre las ventanas. Debería dormir un poco. Esta tarde tengo una reunión con el *Pakhan*, después de la cual estaré en el club por lo menos hasta las tres de la madrugada. En lugar de hacer lo que seguramente me aconsejaría el Doc, ir a otra habitación, me quedo donde estoy, con una chica cuyo nombre ni siquiera sé, y le acaricio la espalda hasta que su respiración se estabiliza y vuelve a dormirse.

Capítulo dos

Asya

La puerta de la pared de enfrente es enorme y está hecha de la madera más oscura que jamás he visto. Debe de haber pasado una hora desde que me desperté. Aunque no estoy segura. En la pared hay un reloj que hace tictac, pero no me ayuda porque no puedo ver los detalles de la carátula ni de las manecillas. Por la pizca de luz que se ve entre las cortinas, debe de ser mediodía.

Necesito orinar urgentemente, pero me da miedo moverme de mi lugar en esta cama. Lo último que recuerdo es haber seguido las líneas amarillas del pasillo después de salir corriendo de la habitación del señor Miller y haber encontrado la puerta con la señal de salida. No tengo la menor idea de dónde estoy. No sé cómo llegué aquí. Y no sé qué van a hacer conmigo. Me tiembla el cuerpo. El dolor entre mis piernas sigue ahí, pero no tan fuerte, y me duele la cabeza como si me fuera a estallar. Aparte de eso, me siento bien. Físicamente, al menos. ¿Mentalmente? Mentalmente también me siento bien. De hecho, me siento genial.

Eso no puede ser bueno.

La puerta se abre y alguien entra, luego se detiene abruptamente. Es un hombre, eso puedo distinguirlo incluso desde esta distancia. Es alto y muy musculoso, viste una camiseta negra y unos pantalones negros holgados. Su cabello es rubio oscuro o castaño claro. Eso resume todo lo que puedo distinguir. Faltaba una semana para mi segunda operación de ojos, pero entonces... todo ocurrió. El médico dijo que esperaba corregir mi miopía casi por completo.

El hombre se queda ahí de pie y me pregunto cuánto tiempo piensa quedarse mirándome.

—Buenos días —expresa por fin, y un agradable escalofrío recorre mi cuerpo. Nunca en mi vida había conocido a un hombre con una voz tan grave—. ¿Cómo te sientes?

Entrecierro los ojos para intentar verlo mejor, aunque sigue siendo una silueta borrosa.

El hombre da un paso vacilante hacia delante.

—¿Puedes decirme tu nombre?

Puedo, pero no tengo ganas de hablar en este momento. No sé por qué. Simplemente no tengo ganas. Otro paso. Ahora está en medio de la habitación.

—Probablemente tu familia esté preocupada por ti. ¿Puedes darme su número para llamarlos? ¿Para que vengan a llevarte a casa?

Sí, mi hermano y mi hermana deben de estar enloqueciendo. Llevo dos meses desaparecida. Arturo debe estar como loco sin saber nada de mí. Ha sido un padre y una madre para mí y mi hermana desde que teníamos cinco años. Y Sienna, Dios mío, no puedo ni imaginármelo. Tengo que llamarles para decirles que estoy bien.

Las náuseas se abren paso hasta mi garganta. No quiero

llamar a Arturo, porque tendría que contarle lo que pasó. Lo que hice. No quiero que mi familia sepa que su hermana es una prostituta y una adicta. Seguramente me dirán que todo va a estar bien. Mi cuerpo empieza a temblar. No va a estar bien.

Nada volverá a estar bien.

—¿Qué pasa? —cuestiona el hombre y da otro paso hacia mí.

Probablemente piensen que estoy muerta. Me alegro. Es mejor así. No merezco que se preocupen por mí. Nunca podría ser capaz de mirarlos a los ojos. La hermana que conocieron ya no existe. Se ha ido. Y en su lugar está esta criatura repugnante y asquerosa que deja que la gente la viole y venda su cuerpo mientras ella no hace nada para impedirlo. ¡Nada! Me castañean los dientes y no puedo respirar.

—Por favor, dime qué te pasa.

Su voz es tan relajante. Debería de estar muerta de miedo, teniendo a un hombre desconocido aquí, teniendo en cuenta por lo que he pasado. Sin embargo, no lo estoy. La cuestión es que me han hecho tantas cosas desagradables que no hay nada que él pueda hacer para lastimarme. Me da más miedo que Arturo y Sienna se enteren que volver a ser violada. Intento respirar más profundamente, pero no puedo. Solo consigo emitir pequeños jadeos.

Una mano entra en mi campo visual y me sobresalto, esperando a que él me golpee. En lugar de eso, el hombre toma la manta que se me ha caído de los hombros y me envuelve con ella. Apoya la palma de su mano en mi espalda y la mueve lentamente arriba y abajo. Por la madrugada hizo lo mismo. Recuerdo que me desperté y estaba helada por el frío cuando una mano empezó a reconfortarme la espalda.

Me hizo sentir segura, algo que pensé que nunca volvería a experimentar. Anoche lo sentí.

Mis ojos se centran en la frazada que me envuelve porque ahora no puedo mirarlo, pero por fin puedo llenar mis pulmones. Cierro los ojos y una débil melodía suena en algún lugar profundo de mi mente. Las notas son suaves, apenas reconocibles, aun así el corazón me da un vuelco. Pensé que había perdido mi música. Mientras la mano que tengo en la espalda continúa su recorrido, subiendo, bajando y volviendo a subir, la música se hace un poco más fuerte. La *Moonlight Sonata* de Beethoven. Profunda. Relajante. Igual que su voz.

—Te traeré un poco de agua —informa el hombre, y su mano desaparece de mi espalda mientras se aleja.

Y grito.

Pavel

Me quedo quieto. ¿Toqué accidentalmente su piel o hice algo que la alteró?

Con cuidado de no tocarla, me alejo de la cama, pero la chica salta de repente hacia mí. Me rodea el cuello con sus brazos y me aprieta con fuerza, mientras sus piernas me rodean la cintura. Me quedo parado junto a la cama, atónito, con la chica agarrándome como un bebé koala. Mete su cara en el pliegue de mi cuello y tararea algo. ¿Y ahora qué hago? ¿Intento volver a ponerla sobre la cama? ¿O espero a que decida bajarse?

Espero un par de minutos para ver si me suelta, no obstante, se aferra a mí sin cesar. Parece que, de momento, estoy pegado así a ella. Con cuidado, le rodeo la espalda con un brazo y me inclino para agarrar el paquete de analgésicos que me dio el Doc de la mesita de noche. Guardo el medicamento en el bolsillo de mi pantalón de pijama y coloco mi mano bajo su muslo. Como sigue completamente desnuda, saco la manta de la cama y le cubro el cuerpo, metiéndole los extremos bajo la barbilla.

—Vamos por un poco de agua —indico y salgo de la habitación.

Cargo a la chica hasta la cocina. No me suelta mientras tomo una botella de agua de la nevera y me dirijo hacia la alacena para sacar un vaso. Lo hago con una mano, ya que sigo sujetándola con la otra, temiendo que resbale y se caiga.

—¿Quieres bajar a beber tu agua? —pregunto.

Ella aprieta más sus brazos alrededor de mi cuello. Miro el vaso que coloqué sobre el mostrador y luego la botella que está a su lado. De acuerdo. No tengo ni puta idea de qué hacer.

—Escucha, *Mishka*, el médico dijo que necesitas beber algo. Por favor, no me hagas que te obligue.

Los brazos alrededor de mi cuello se tensan, luego se aflojan, y la bajo con cuidado. La chica está de pie frente a mí, agarrando la manta con sus manos. Tiene la cabeza agachada y el cabello le cae a ambos lados de la cara, ocultándola.

—Toma. —Le paso el vaso con agua y saco la medicina de mi bolsillo.

En cuanto dejo las pastillas sobre el mostrador, la chica retrocede bruscamente.

—Son para el dolor. Mira. —Saco dos pastillas del frasco, me las meto en la boca y le ofrezco una.

Ella se queda mirando la pastilla que tengo en la palma de la mano, retrocede de nuevo y choca contra la isla de la cocina.

—Está bien. —Dejo la pastilla y el frasco sobre el

mostrador y le acerco el vaso con agua—. Solo agua. Tómatela toda, por favor. —Cuando se bebe el agua y me devuelve el vaso, asiento con la cabeza y lo tomo—. Bien. ¿Quieres ducharte?

La chica no contesta.

No hay mucha luz en la cocina. Suelo tener todas las persianas cerradas durante el día porque es cuando duermo. Inclino la cabeza hacia un lado, intentando ver la expresión de su rostro. Parece confundida. Sé que puede hablar, así que no entiendo por qué no responde a ninguna de mis preguntas.

—¿Quieres ducharte? —Lo intento de nuevo.

Se muerde el labio inferior y algo parecido a la frustración se dibuja en su rostro, pero no responde. Ni siquiera asiente con la cabeza. ¿Qué voy a hacer con ella? Tiene lodo en el hombro y el brazo derecho, y un poco en el cabello. Probablemente de cuando se cayó en la calle.

—Está bien, te llevaré a ducharte. Asiente, *Mishka*.

La chica exhala y asiente. Me doy la vuelta hacia mi habitación, pero enseguida siento un tirón en la camiseta y echo un vistazo por encima de mi hombro. La chica está justo detrás de mí, sujetando la manta con una mano y agarrando el dobladillo de mi camiseta con la otra.

Me sigue por la sala hasta mi habitación, aferrándose a mi camiseta durante todo el trayecto. Cuando llegamos al baño, señalo con la cabeza al armario de la derecha.

—Allí encontrarás toallas y algunos artículos básicos de aseo.

La chica se queda detrás de mí, agarrada a mi camiseta. Me doy la vuelta para marcharme, pero un quejido me detiene en seco. Cuando miro por encima de mi hombro, veo a la chica con los labios apretados y los ojos muy abiertos, buscándome la cara.

—¿Quieres que me quede? —indago.

No contesta. No es que esperara que lo hiciera. Pero sus ojos, que se asoman entre sus mechones oscuros y se clavan en los míos, dicen lo suficiente. Sin pensarlo, estiro la mano para apartarle el cabello de la cara, no obstante, la retiro de golpe cuando me doy cuenta de lo que estoy haciendo.

—Está bien. Esperaré aquí. —Miro hacia la puerta—. Avísame cuando hayas terminado.

Al principio no pasa nada, pero un par de instantes después me suelta la camiseta. La oigo orinar y tirar de la cadena. Poco después se abre la ducha.

Observo fijamente la puerta frente a mí, pensando. No soy un experto en salud mental, pero sé que su comportamiento no es normal. Parece todo lo contrario de lo que esperaría de una mujer que ha sufrido una agresión sexual. Supuse que no querría acercarse a menos de tres metros de un hombre desconocido. No esperaba esto, y no estoy seguro de cómo comportarme.

Me llega un sonido de respiración acelerada, como si se estuviera hiperventilando.

—¿Todo bien? —inquiero por encima del hombro sin mirar hacia la ducha.

Se escucha un resoplido y más respiraciones agitadas. Finalmente miro dentro de la ducha y veo a la chica sentada en el suelo todavía envuelta en la manta. Se frota frenéticamente el interior de las piernas con la toallita. La piel está tan roja que parece estar en carne viva.

—Maldición. —Cruzo rápidamente a través del baño, me meto en la ducha y me agacho frente a ella—. Es suficiente.

Estás limpia. —Tomo su mano y desenredo sus dedos de la toallita. Casi a regañadientes, la suelta, aflojando al mismo tiempo la manta. La tela húmeda se desliza por sus hombros—. Está bien.

El flujo de agua que cae sobre nosotros es abrasador, pero su cuerpo está temblando. La tomo en brazos, me acerco al lavabo y la dejo con cuidado sobre el mostrador. La toalla que usé antes está colgada en la pared a mi lado. La agarro y la envuelvo alrededor de sus hombros.

—*Mishka,* mírame —pido y sujeto su barbilla con los dedos para que levante la cabeza—. Tengo que quitarme la camiseta o te mojaré otra vez. —Mi ropa está completamente empapada, pero no creo que sea buena idea dejarla aquí sola mientras voy a cambiarme—. ¿Te parece bien? —inquiero.

Sus ojos enrojecidos me miran y van de un lado a otro como si quisiera decir algo, pero sus labios permanecen sellados. Entonces, los separa y aspira un pequeño jadeo, seguido del sonido del castañeo de sus dientes. La intensa luz de la lámpara LED que hay sobre el lavabo la ilumina directamente. Miro su pequeño cuerpo envuelto en mi toalla y el cabello castaño oscuro que le cuelga alrededor del rostro. Hasta ahora no había tenido la oportunidad de verla tan de cerca y me sorprende lo joven que parece.

—Por Dios, nena. ¿Cuántos años tienes? —susurro.

Y, por supuesto, no obtengo respuesta.

Agarro un puñado de la tela de mi camiseta por la espalda y la jalo por encima de mi cabeza, dejándola caer al suelo.

—No tengas miedo. Son solo tatuajes —comento.

La mirada de la chica se desplaza hacia mi torso mientras contempla la multitud de escenas grotescas que cubren mi piel. Entrecierra los ojos y se inclina hacia delante, examinando las formas negras. Su mirada se desplaza hacia arriba hasta que su rostro queda justo frente al mío, dos ojos marrones observándome fijamente.

—¿Puedes decir algo, por favor? —agrego—. ¿Tu nombre? —Nada—. Me llamo Pavel. Pero la gente suele llamarme *Pasha.* Es un apodo ruso. —Sus ojos se abren de par en par, al escuchar eso, aunque no pronuncia ni una palabra—. Bueno. Vamos a llevarte a la cama y a calentarte.

En el momento en que las palabras salen de mi boca, ella se aferra a mí de nuevo, envolviendo sus brazos y piernas como antes. Recojo la toalla que cayó junto al lavabo, se la pongo alrededor de los hombros y la llevo a mi cama.

—Tengo que cambiarme —explico mientras cubro a la chica con una manta—. También te traeré algo para ponerte. ¿Te parece bien una camiseta?

No sé por qué sigo haciéndole preguntas si nunca contesta. Después de meterla en la cama, cruzo la habitación y entro a mi armario. Me pongo un pantalón y camiseta de pijama secos y busco una camiseta más pequeña. Sé que tengo una que me regaló Kostya hace un par de años que era varias tallas más pequeña. La mandó a hacer personalizada con la inscripción *Classy but Anal* impresa en la parte delantera. Idiota.

Escucho un ruido como de arrastre y, al mirar por encima de mi hombro, veo a la chica parada en la entrada, envuelta en la manta. Da un paso hacia dentro y mira la repisa donde guardo mis camisetas. No hay muchas, unas diez en total. Únicamente me las pongo cuando hago ejercicio. El resto de mi vestuario consiste en ropa interior, pantalones de pijama, camisas de vestir y trajes. No tengo *jeans,* sudaderas ni otras prendas informales. Hace años me juré a mí mismo que nunca volvería a ponerme *jeans.*

Su mirada se posa en el estante inferior, donde guardo mis zapatos, y luego se desplaza hacia la derecha, donde hay un perchero a lo largo de todo el espacio. De él cuelgan al menos treinta trajes y el doble de camisas. En cuanto los ve, se pone tensa, retrocede dos pasos y sale corriendo.

Agarro la primera camiseta de la repisa y salgo del armario, encontrándome a la chica acurrucada en la cama de espaldas a mí.

—Voy a dejarte esto aquí —declaro y dejo la camiseta doblada a los pies de la cama. Ella no reacciona.

Debería traerle algo de comer, pero eso puede esperar. Más bien necesita dormir. Me siento en el borde de la cama y observo su pequeño cuerpo. El borde de la manta le cubre hasta la frente. Estiro una mano hacia su espalda, por encima de la frazada, y la toco. Suelta un pequeño suspiro y se relaja ligeramente bajo mi contacto. Está al otro lado de la cama, así que me subo y me tumbo a una distancia prudente de ella para seguir acariciándole la espalda.

Algo cálido me aprieta el costado. Abro los ojos y veo a la chica acurrucada contra mí, con su brazo sobre mi pecho y su cara pegada a mi brazo. Parece que ambos nos quedamos dormidos. El reloj de la pared del otro lado de la habitación marca las cuatro de la tarde. Mierda.

Con el mayor cuidado posible, me desenredo de la chica dormida y me dirijo al baño para prepararme para ir a trabajar. Cuando salgo, quince minutos más tarde, sigue dormida.

Considero la posibilidad de despertarla para avisarle que tengo que irme, pero decido no molestarla.

No hay mucho en la cocina ni en la nevera porque suelo pedir comida o comer en el trabajo. Encuentro unos huevos, una barra de pan y mermelada, y se lo pongo todo en el mostrador. Una vez hecho esto, escribo una nota breve diciendo que me fui a trabajar y que debe comer. Luego la dejo en la mesita de noche, junto a la cama. La manta se ha resbalado de su cuerpo, así que vuelvo a taparla, pero en lugar de irme inmediatamente, la observo durante unos largos instantes.

Asya

Frío. Mucho frío. Me envuelvo en las sábanas y me siento en la cama. No hay nadie cerca. ¿Dónde estará? Quizás esté en otra habitación. Intento escuchar algún sonido, pero no hay más que silencio. La lámpara del suelo que se encuentra junto a la cama está encendida, iluminando un trozo de papel que hay sobre la mesita de noche. Lo tomo y me lo acerco a la cara. He sido miope toda mi vida; necesito sostener la nota a unos treinta centímetros delante de mis ojos para poder distinguir claramente lo que está escrito.

La nota dice que no volverá hasta tarde en la noche. Vuelvo a dejar el papel en la mesita. Me dejó sola en su apartamento. Me estremezco y me envuelvo fuertemente con las sábanas. ¿Qué hora es? ¿Cuánto tiempo tendré que esperar hasta que vuelva? Retrocedo en la cama hasta quedar acurrucada en una esquina, entre la cabecera y la pared, y cierro los ojos.

¿Qué demonios me está pasando? Cuando me desperté

esta mañana, me sentía completamente bien hasta que mencionó a mi familia. La idea de que se enteren de lo que me pasó me hizo perder el control. Fue como si de repente me arrojaran a un abismo negro. La oscuridad me resultaba demasiado familiar. Era el mismo vacío en el que pasé los dos últimos meses, completamente desconectada de todo lo que ocurría a mi alrededor. O a mí. Sentí como si me fuera a tragar completamente. Como un gas venenoso e invisible, su susurro tóxico rodeaba mi mente, deseando que lo dejara entrar. «*Sucia*», me susurraba. «*Asquerosa. Nadie querrá volver a tocarte*». Pero entonces, *Pasha* me acarició la espalda. No me encontraba repulsiva. Las voces se detuvieron, y el agujero negro se cerró.

Me queda una extraña certeza de que no volverán mientras esté cerca. Pero él no está aquí ahora.

«*Cuando tu hermano se entere de lo que ocurrió, se sentirá asqueado*», me susurra la voz al oído. «*Ya no te querrá. Nadie puede amar a una criatura tan miserable. Dejándote follar por extraños, mientras tú no hacías nada para defenderte. Repugnante*».

Inhalo y exhalo lentamente, intentando bloquearla. No funciona.

«*Todo es culpa tuya. Tú te lo buscaste. Fue tu decisión irte con ese tipo*».

Me llevo las manos al cabello y aprieto como si jalando las raíces fuera a arrancarme la voz de la cabeza. Sin embargo, continúa:

«*Pensaste que era simpático. Era un depredador sexual que te violó y te metió a una red de prostitución, ¡y te pareció simpático! No eres capaz de razonar*».

Estiro una mano para tomar la nota que dejó *Pasha* y me concentro en las dos primeras líneas.

—Cuando despiertes, puedes explorar el departamento. Dejé algo de comida en el mostrador de la cocina. Come.

Es una orden. No una pregunta. No tengo que tomar la decisión por mí misma. Solo debo hacer lo que *él* dice. Un suspiro de alivio sale de mis labios. Con la nota en mano, me levanto de la cama y, agarrando la camiseta que me dejó, salgo de la habitación.

La casa de *Pasha* es muy lujosa. Todo, desde los modernos muebles oscuros hasta las suaves y gruesas alfombras y las pesadas cortinas, parecen costosos. No hay desorden, ni baratijas en las repisas, ni nada por el estilo. Encontré otras dos habitaciones, mucho más pequeñas que en la que dormí. No parecen estar en uso.

La sala es el espacio más grande del apartamento, con un televisor montado en la pared y un sofá y dos sillones reclinables frente a él. Me paro en medio de la habitación y miro a mi alrededor. Hay un librero. Varios cuadros modernos en las paredes. Es agradable, pero todo parece un montaje para una revista de diseño de interiores o una sala de exhibición. Es extraño estar en un lugar así.

En casa, todas nuestras repisas y paredes están cubiertas de fotos de Sienna y mías, con una al azar de Arturo cuando conseguimos convencerlo de que se tomara una foto con nosotras. Las revistas de moda de Sienna y mis partituras están esparcidas por todas partes. Los cojines del sofá no hacen juego. Hay juguetes para perros por todas partes. Productos para el cabello y lociones para el cuerpo suelen estar en lugares extraños, como la barra de la cocina o la repisa del televisor. Algo me oprime el pecho cuando pienso en casa. Parece extraño, como si mi hogar perteneciera a otra persona.

Aprieto el papel en mi mano con más fuerza y me dirijo

a la cocina. Los mostradores son brillantes y negros, con una estufa de cristal que parece no haberse usado nunca. El tamaño del refrigerador negro parece que podría almacenar comida suficiente para diez personas durante una semana, pero cuando lo abro, lo único que contiene son varias botellas de agua, un cartón de leche, tres tomates y un paquete de queso sin abrir.

La encimera se extiende a lo largo de toda la pared, aunque lo único que hay en ella es una cafetera. No hay frascos de especias, ni soportes para tazas. No hay nada. Simplemente una cafetera. En la isla, me dejó algo de comida para desayunar. ¿Debería cocinar unos huevos o simplemente comer un pan con mermelada? Un cosquilleo desagradable se extiende por mis entrañas. O me preparo huevos o me como la mermelada; no creo que pueda comer ambos. Pero cuando pienso en elegir uno, la ansiedad en mi estómago se intensifica.

¿Qué diablos me pasa que no puedo tomar una decisión tan estúpida e insignificante? Lo mismo me pasó esta mañana cuando *Pasha* me preguntó si quería bañarme. Estaba sucia. Necesitaba una ducha. Sin embargo, cuando lo cuestionó, no pude tomar la decisión. Me agarro al borde de la isla y observo las cosas que me dejó. ¿Huevos o mermelada? Es una elección simple, ¡maldita sea! ¿Por qué demonios no puedo decidirme?

Después de veinte minutos mirándolos fijamente, acabo por freír los huevos mientras me como una rebanada de pan con mermelada y me siento como una idiota durante todo el rato.

Al menos ya se me quitó la fiebre que tenía.

Para cuando termino de comer, ya está oscuro afuera y no sé qué hacer. La nota decía que explorara y comiera. No decía qué hacer después. Podría volver a dormir o tal vez leer algo. Hay muchos libros en el estante de la sala. No puedo ver la televisión sin mis lentes a menos que me ponga justo enfrente. ¿Leer? ¿Dormir? Tengo que volver a tomar una decisión, ¡pero no puedo!

Me agarro de los lados de la cabeza, jalo mi cabello y un quejido de frustración sale de mis labios. Vuelvo a leer la última parte de la nota.

—*Fui a trabajar y no volveré hasta las 3 a.m. Si estás pensando en escapar, por favor no lo hagas. Espera a que regrese.*

Dijo que lo esperara. Simple. Directo. Indiscutible. La presión en mi pecho se desvanece. Me paro a un par de pasos de la puerta principal. Y espero. Cualquiera que me mire ahora podría pensar que está viendo a un perro entrenado. Me importa una mierda. Lo único que me importa en este momento es dejar de sentir esta ansiedad abrumadora. Me ocuparé de mi mente jodida otro día. Me siento en el suelo, me rodeo las piernas con los brazos y observo fijamente la puerta principal.

Pavel

Mi teléfono suena mientras estaciono mi auto al final de la larga fila de vehículos parados frente a la casa del *Pakhan*. Al final de la fila hay una enorme motocicleta roja. Algo importante debe estar pasando, ya que Roman llamó a los peces gordos, incluido Sergei. Tomo el teléfono del asiento del pasajero y atiendo la llamada.

—¿Doc?

—Tengo los resultados de la chica. En cuanto a ETS, está limpia. También dio negativo en embarazo. El análisis de sangre muestra que está un poco anémica, pero eso es todo.

—¿Qué hay de las drogas?

—Bueno, esa es la parte interesante. La sustancia encontrada en su sistema no está registrada. Parece que puede ser algo nuevo, algo que no ha llegado al mercado, todavía.

—Eso es extraño.

—Espera, hay más. La prueba dio los resultados de las píldoras que Vladimir dejó el otro día. Es lo mismo.

—¿Estás seguro?

—Sí.

—¿Se lo dijiste a Roman?

—Se lo dije. Acabo de hablar con él.

Me pongo tenso.

—Entonces… ¿le contaste lo de la chica?

—Por supuesto. ¿Por qué? ¿No debería haberlo hecho?

—*Nop,* solo preguntaba —expreso y aprieto el volante hasta que mis nudillos se ponen blancos. El hecho de que le contara a Roman lo de la chica no me gusta, y no tiene sentido. Nunca he sentido la necesidad de ocultarle nada al *Pakhan.*

—¿Cómo está? —continúa el Doc—. ¿Su familia fue a buscarla?

—Sigue en mi casa.

—¿Qué? ¿Por qué no llamaste a sus padres o a alguien?

—No quiere hablar. De hecho, no ha dicho ni una palabra.

—Mierda. Debe estar muerta de miedo. Deberíamos haber hecho que Varya se quedara con ella hasta que su familia pudiera venir. Probablemente deberías mantenerte alejado mientras ella esté allí.

—Sobre eso. —Me froto el cuello—. No parece que me tenga miedo. De hecho, ha estado pegada a mi lado desde que se despertó esta mañana. No me pierde de vista.

Incluso insistió en que me quedara en el baño mientras ella se duchaba.

—*Hmmm*. Esta no es mi especialidad, no obstante, sé que las víctimas de violación pueden reaccionar de múltiples maneras. ¿Se sobresalta cuando te acercas?

—Cuando intenté salir de la habitación para traerle un vaso de agua, gritó y saltó a mis brazos. Desnuda —confieso—. ¿Tienes algún consejo sobre lo que debo hacer? ¿Cómo comportarme hasta que contacte a su familia?

—Ni idea. No soy psicólogo. Pero haré algunas llamadas y te diré lo que averigüe.

—Gracias, Doc.

Guardo el teléfono en mi chaqueta y miro el reloj. No debería haberla dejado sola, pero todo esto es nuevo para mí. Nunca he tenido que preocuparme por nadie. Nunca había tenido que cuidar a nadie. Y a mí nunca me cuidaron, así que no tengo idea de lo que estoy haciendo.

Como supuse, casi todos los miembros del círculo principal de la *Bratva* están aquí.

Dimitri, el jefe de seguridad, está parado junto al escritorio de Roman, mientras que Mikhail está sentado en la silla cerca de la ventana. Mikhail supervisa las operaciones de transporte de las drogas de la *Bratva* y también se encarga de la extracción de información. En otras palabras, se encarga de torturar cuando es necesario. Sergei, el medio hermano del *Pakhan*, está apoyado en la pared junto a la puerta, girando un cuchillo en sus manos. Se ocupa de las negociaciones con nuestros proveedores y compradores. Y de vez en cuando los mata.

—Ruslana, la hija de Fyodor, fue encontrada muerta —informa Maxim, el segundo al mando, y coloca un folder amarillo frente a Roman—. El cuerpo fue encontrado en un contenedor de basura en los suburbios. Un vagabundo la encontró por casualidad.

—¿Causa de la muerte? —cuestiona Roman.

—Posible sobredosis.

—Ruslana era una buena chica. Estudiaba segundo año en la universidad. No parece típico de ella mezclarse con drogas. —Roman asiente hacia el folder—. ¿Cuándo desapareció?

—El mes pasado. Su padre dijo que fue a una tienda y nunca regresó.

—¿Denunció su desaparición?

—Sí. Pero no hubo respuesta. Fue como si se la hubiera tragado la tierra. Sin embargo, eso no es lo más extraño. —Maxim saca un pedazo de papel del folder y se lo pasa a Roman—. Aquí está el informe del forense. Estaba drogada con heroína, pero también encontraron restos de una sustancia no identificada. Moví algunas influencias y conseguí que compararan los resultados con las pastillas que le quitaron al traficante en Ural. Es la misma sustancia.

Tras un breve vistazo al contenido, Roman pregunta:

—¿Crees que lo de la heroína es para encubrirlo?

—Probablemente. —Asiente con la cabeza.

—Las drogas no son helados. No puedes crear un nuevo sabor en la cocina de alguien. —Roman tamborilea los dedos sobre el escritorio y mira a Mikhail, que está sentado a mi derecha—. ¿Conseguiste algo del traficante que Pavel atrapó?

—No hacía más que repetir lo que le dijo a *Pasha*

—indica Mikhail—. Un amigo le dio las pastillas a cambio de que le perdonara una deuda. No sabía cómo consiguió las drogas su amigo ni qué eran. No tenemos nada, solamente el nombre de este amigo. Aunque parece que su amigo ha desaparecido. Yuri tiene hombres vigilando su casa. En cuanto aparezca, lo traerán.

Vi a Mikhail torturar a un tipo hace unos años. Hizo de la tortura un arte. Si Mikhail no pudo sacarle nada más al traficante, significa que no quedaba nada.

Roman deja el folder a un lado y se inclina hacia adelante, apoyando sus codos en el escritorio.

—Ahora, pasemos al segundo asunto. ¿Qué carajo les pasa a todos ustedes recogiendo mujeres inconscientes al azar y llevándoselas a casa?

Todas las cabezas giran hacia Sergei, que está sentado a mi izquierda.

—¡*Oh*, no me miren a mí! —Se ríe—. Yo conseguí a la mía hace años y ya no necesito más.

—¿Y no recordamos todos el lío monumental en que eso resultó? —Román arremete—. Las especulaciones siguen desatadas en todo México sobre lo que pasó en la propiedad de los Sandoval. Hay gente que no se cree las estupideces que dice el gobierno de que fue un terremoto, y piensan que más bien fue el impacto de un meteorito.

—Bueno, como *Pasha* no sabe una mierda de explosivos, yo diría que estamos bien. —Sergei me sonríe—. ¿Quieres compartir algo sobre la chica que Roman dice que tienes en tu casa?

La atención de todos cambia inmediatamente hacia mí.

—No sé quién es. No quiere hablar —pronuncio—. Pero

cuando la encontré, estaba drogada con la misma mierda que se vendía en Ural.

—Necesito información sobre esta nueva sustancia —señala Roman—. Necesito saber quién la fabrica y con qué propósito. Y quiero que se ocupen de ellos. La hija de Fyodor era una buena chica. Todos los que hayan estado involucrados en su muerte pagarán por ello. Con sangre.

Hace un gesto con la cabeza hacia la puerta, lo que significa que la reunión terminó. Kostya y Mikhail salen primero de la oficina, y los demás los seguimos.

Estoy cruzando el vestíbulo hacia la puerta principal cuando escucho gritos femeninos agudos. Me doy la vuelta y veo a Kostya encogido en un rincón, protegiéndose la cabeza con las manos. Olga y Valentina lo tienen inmovilizado, llorando y golpeándolo con trapos de cocina. Parece que aún no han superado el hecho de que terminara con ambas. El pobre bastardo tuvo que mudarse de la mansión el mismo día que les dijo que habían terminado para evitar lesiones físicas. Dejo a Kostya con su sufrimiento y salgo.

Mi teléfono suena cuando estoy subiendo a mi auto. Es el Doc.

—¿Dónde estás?

—Saliendo de la casa del *Pakhan,* me dirijo a Ural —contesto—. ¿Por qué?

—Acabo de hablar con una amiga que es psicóloga. Suele trabajar con víctimas de abusos. Le expliqué la situación y le hablé del comportamiento de la chica.

—¿Y? —Pongo el teléfono en modo manos libres y meto reversa. —¿Tiene alguna idea de lo que está pasando?

—No se sorprendió y supuso que la chica ha desarrollado un apego hacia ti —declara—. Al parecer, algunas víctimas de abusos tienden a alejarse de los hombres. Sobre todo, de los desconocidos, a veces incluso de los miembros de la familia. Sin embargo, otras forman un fuerte vínculo con quien las salvó. Se aferran a su protector, aunque sea un hombre.

—No lo entiendo —suelto.

—El trauma de ser agredida sexualmente es una experiencia llena de violencia. Transforma la sensación de seguridad de una persona, su forma de ver el mundo y sus relaciones con otras personas. Parece que esta chica empezó a asociar la sensación de seguridad contigo. Ella ve al resto del mundo como peligroso. Como su salvador, te has convertido en su "lugar seguro".

—Yo no la salvé. Ella lo hizo por sí misma. Salió corriendo de ese edificio.

—Siendo realistas, sí. No obstante, a sus ojos, tú eres quien la salvó. No sabemos cuánto tiempo estuvo cautiva y fue agredida sexualmente. Que la llevaras a tu casa podría ser la primera vez que se sintiera segura en días. Semanas. Tal vez meses.

—Maldita sea.

—Ve a casa. Habla con ella. Necesita ayuda profesional y necesita a su familia —sugiere con voz seria—. Y no hay que dejarla sola.

En cuanto corto la comunicación, llamo a Ivan y lo envío a Ural. Hay una hora de camino desde casa de Roman hasta la mía, y todo el tiempo reflexiono sobre lo que me dijo el Doc. Debería haberme quedado con la chica. ¿Y si se despertó y se asustó porque me había ido? Nadie en su sano juicio habría dejado a la chica en ese estado sola en un lugar extraño. No lo pensé.

Golpeo el volante con la mano y piso el acelerador con más fuerza.

Cuando abro la puerta principal, el interior está completamente oscuro. ¿Estará durmiendo todavía? Busco el interruptor, enciendo las luces y me detengo en seco. La chica está sentada en el suelo, a unos pasos de la puerta, con los brazos alrededor de sus piernas. Su cuerpo tiembla descontroladamente.

—Mierda. —Me agacho a su lado con la intención de levantarla, pero en cuanto me acerco a ella, salta a mis brazos. Envolviéndose de nuevo a mi alrededor como un koala, entierra su cara en el pliegue de mi cuello.

Sujetándola por debajo de sus muslos, la cargo hasta mi habitación. Mi intención de bajarla suavemente sobre la cama no sale como había planeado cuando sus brazos y piernas me aprietan con fuerza.

—Siento mucho haberte dejado sola —susurro y me siento en el borde de la cama.

Hay una manta enrollada a mi lado, así que la agarro y la envuelvo alrededor de los hombros de la chica. Ella no se mueve, solo se aferra a mí, todavía temblando.

—Estás a salvo. —Le pongo la mano en la nuca y le acaricio la espalda con la otra en lo que espero que sea un movimiento reconfortante—. Estás a salvo.

Un pequeño suspiro sale de sus labios y su cuerpo se relaja entre mis brazos. Sigo con mis movimientos reconfortantes durante al menos media hora antes de que levante la cabeza de mi hombro. Acerco la mano a la lámpara que hay junto a la mesita de noche y giro el regulador para subir un poco más la intensidad de la luz. La chica parpadea un par de veces, probablemente para adaptarse a la repentina intensidad de la misma, y luego me mira directamente a los ojos.

—¿Te sientes mejor? —pregunto.

No contesta, solo me observa a la cara durante un par de segundos. Dios mío, es tan joven. Desenrolla sus brazos de mi cuello y me pasa las manos por los hombros, bajando por mi pecho y deteniéndose en las solapas de la chaqueta de mi traje. Sus ojos bajan hacia donde están sus manos y su cuerpo se pone rígido súbitamente. Sigo su mirada y veo que está clavada en mi corbata. Vuelve a temblar y un quejido sale de sus labios.

—¿Qué pasa?

La respiración de la chica se vuelve cada vez más rápida y superficial, y sus ojos siguen mirando horrorizados mi corbata.

—Mírame. —Le agarro la cara con mis manos y le levanto la cabeza hasta que nuestras miradas se cruzan. Hay pánico en sus ojos marrones oscuros—. Bien. Ahora respira.

Lo intenta, pero su respiración se entrecorta. Otro intento. Le tiembla el labio inferior y escucho un suave susurro, pero no puedo entender lo que dice.

—No te escuché, nena. ¿Puedes volver a intentarlo?

Cierra los ojos y se inclina hacia delante. Sus palabras son débiles junto a mi oído.

—Ellos siempre… usaban trajes.

Tardo unos segundos en entender a qué se refiere. En cuanto lo entiendo, un escalofrío me recorre la espalda. Dijo "ellos". En plural. Pensé que quizás había estado en una relación abusiva con algún psicópata que la había drogado.

Le suelto el rostro y me quito rápidamente la chaqueta, tirándola hacia el centro de la habitación, donde ella no puede verla. Luego empiezo a desanudarme la corbata. La chica mira hacia abajo, su mirada se fija en mis manos mientras estoy deshaciendo el nudo, y el temblor de su cuerpo se intensifica.

—Mírame. —Consigo pronunciar las palabras, hablando con suavidad para no asustarla. Es difícil porque la ira que me invade amenaza con estallar—. Mírame a los ojos. Buena chica. Voy a tirarla, ¿de acuerdo? —Dejo caer la corbata al suelo. En cuanto la prenda desaparece de su vista, su cuerpo se relaja un poco, pero sigue temblando—. ¿La camisa también? —inquiero, y sin esperar la respuesta, comienzo a desabrochar los botones. Se muerde el labio inferior y asiente—. Muy bien, nena. —Desabrocho el último botón y me quito la camisa bruscamente—. ¿Mejor?

Observo fijamente sus ojos enrojecidos y Dios, parece tan perdida. Vuelve a bajar la mirada y lentamente coloca su mano sobre mi pecho desnudo. Me pasa la punta del dedo por la clavícula, donde empiezan mis tatuajes, y luego baja lentamente. Es apenas un roce que delinea las formas tatuadas en mi piel.

—Me temo que no puedo quitármelos, *Mishka* —pronuncio.

Sus ojos se vuelven a posar en los míos y, mientras me observa, las comisuras de sus labios se curvan ligeramente hacia arriba.

—¿Eso es una sonrisa?

Se encoge de hombros.

Era una sonrisa pequeña, pero una sonrisa al fin y al cabo. Transforma completamente su rostro, dándome una idea de la mujer que era antes de todo lo que le pasó.

—¿Cómo te llamas, nena?

La necesidad de saber su nombre, el más mínimo detalle sobre ella, me ha estado carcomiendo vivo.

—Me llamo Asya —musita en voz baja. Un nombre inusual.

—Asya —repito. Le queda bien—. Es un nombre muy bonito. ¿Y tu apellido?

—DeVille —susurra.

Levanto las cejas.

—¿Eres italiana? —Ella asiente. El apellido me suena, pero no consigo ubicarlo—. ¿Eres de Chicago?

—De New York.

En cuanto lo dice, caigo en cuenta.

—¿Eres pariente de Arturo DeVille?

—Es mi hermano. —Se muerde el labio—. ¿Conoces a Arturo?

El subjefe de la *Cosa Nostra* de New York. Mierda. No conozco a Arturo DeVille, pero Roman siempre se asegura de que la *Bratva* tenga información sobre todas y cada una de las personas relacionadas con nosotros de alguna manera.

—Soy miembro de la *Bratva* rusa, *Mishka*. La esposa de tu Don es hermana de la esposa de uno de nuestros ejecutores —comento—. Tenemos que llamar a tu hermano de inmediato y hacerle saber que estás aquí.

Asya se queda inmóvil.

—Por favor… no lo hagas.

—¿Cuál es tu motivo? —inquiero mientras las náuseas se apoderan de mí—. ¿Él tiene algo que ver con lo que te pasó?

Niega con la cabeza, me rodea el cuello con los brazos y se acurruca en mi pecho.

—Es probable que piense que estoy muerta. Quiero que continúe así.

—Pero es tu hermano. Seguramente debe de estar volviéndose loco de preocupación. —Deslizo mi mano por sus mechones castaños oscuros—. Tienes que decirle que estás bien.

—¡No estoy bien, demonios! —revira, se baja de mi regazo y me clava la mirada—. Esa gente me ha estado llenando de drogas y vendiendo mi cuerpo durante meses. ¡Y yo se los permití! ¡No hice nada! ¿Qué clase de ser lamentable deja que eso ocurra sin luchar?

Está llorando mientras grita. Y se lo permito. La ira es buena. Cualquier tipo de reacción es buena. Así que no hago ningún movimiento. No intento calmarla. Me siento en el borde de la cama y la observo en silencio.

—¿Sabes que anoche, cuando me encontraste, fue la primera vez que intenté escapar? —continúa—. ¿Quieres que le diga eso a mi hermano? Me educó para que no fuera un maldito tapete. Prefiero no volver a verlo a que se entere de en lo que permití que me convirtieran.

Respira profundamente y recoge mi camisa del suelo, cerca de sus pies. Se sube al borde y jala la tela con las dos manos, aplicando todo su peso a ello, hasta que la camisa se rasga. Entonces empieza a destrozarla. La observo con asombro. Pensé que era dócil y delicada, sin embargo, al observar su gloriosa ira, me doy cuenta de lo equivocado que estaba. Hay fuego en ella y una vida feroz. Las personas que la lastimaron, que quebraron su espíritu, no lo han eliminado por completo. Y los encontraré a todos y cada uno de ellos y los haré pagar.

—¡Los odio! ¡Los odio tanto! —ruge y me mira—. ¿Y tú? ¿Por qué diablos estás sentado sin hacer nada? ¿Cómo puedes simplemente estar viendo cómo tengo un colapso mental y no hacer nada? —Me tira un trozo de tela a la cara y grita de frustración cuando no hago nada—. ¿Qué carajo te pasa? —Me pone las manos en el pecho y me empuja—. ¿No deberías intentar calmarme?

—No —replico.

—¿No? ¿Solo verás cómo me desmorono? —Me empuja de nuevo. Y una vez más.

—No te estás desmoronando, Asya. —Estiro mi mano y trazo la línea de su barbilla con mi pulgar—. Te estás recuperando.

—¿Me estoy recuperando? —Sus ojos se abren de par en par y estalla en una carcajada histérica—. ¡Cuando me desperté, no podía decidir si comer huevos o mermelada! No podía tomar la decisión más simple. Me pasé veinte minutos observando lo que habías dejado en la encimera y tuve que comerme ambos ¡porque no podía elegir!

Las últimas palabras se pierden en un ataque de llanto. Sus hombros se hunden y se mira los pies descalzos. Le pongo el dedo índice bajo la barbilla y le levanto la cabeza hasta que nuestras miradas se cruzan.

—¿Qué quieres? —indago. Parpadea y dos lágrimas resbalan por sus mejillas—. ¿Los quieres muertos? —Respira agitadamente, pero no responde. Reformulo mi pregunta en una afirmación—. Los quieres muertos. —Aprieta los labios y asiente—. Morirán —prometo—. ¿Qué más quieres? —No contesta—. No quieres que tu familia te vea así.

Otro asentimiento.

—Nunca seré la persona que era antes —susurra.

—No. No lo serás. —Le pellizco ligeramente la barbilla—. Y no importa. Te querrán igual. Lo que te pasó te cambió, Asya. Cambiaría a cualquiera. Irrevocablemente. Necesitas aceptar la persona en la que te has convertido. Sigues siendo tú. Cambiada, sí, pero eso no debería alejarte de la gente que se preocupa por ti.

Resopla y vuelve a subirse a mi regazo. Vuelve a rodearme con sus extremidades y hunde su cara en el pliegue de mi cuello. De sus labios escapan murmullos apenas audibles, y ladeo mi cabeza hacia un lado para escucharla mejor. Cuando termina, me quedo un buen rato mirando la pared del fondo de la habitación, pensando en lo que me acaba de pedir.

Si Roman lo sabe, no acabará bien. Hemos mantenido una buena relación con la *Cosa Nostra,* pero si dejo que se quede, puede significar la guerra. Y si el hermano de Asya se entera, probablemente me matará.

Inhalo y asiento con la cabeza.

—De acuerdo, *Mishka*. Puedes quedarte.

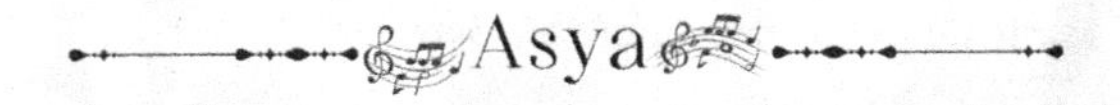

¿Mermelada está bien? —consulta *Pasha* y deja el frasco sobre el mostrador.

Agarro con más fuerza el dobladillo de su camiseta cuando se gira para verme.

—No tengo nada más aquí, pero más tarde iré a la tienda a comprar más comida. Casi nunca como en casa. También ordenaremos algo de ropa para ti.

Levanto la cabeza y lo encuentro observándome.

—Gracias.

Llevo otra de sus camisetas sin nada debajo. Ni bragas. Tampoco sostén. Es una sensación extraña.

Cuando me desperté esta mañana, tenía fiebre otra vez. *Pasha* me envolvió en una manta y me estrechó contra su pecho. Estuvimos acostados en su cama lo que parecieron horas hasta que mi cuerpo por fin dejó de temblar. Me cargó hasta el baño y se quedó allí mientras yo hacía mis necesidades y me bañaba. Después de lavarme los dientes, me envolvió en una toalla esponjosa y me llevó de nuevo a la cama, donde esperé con los ojos pegados a la puerta del baño mientras él se duchaba.

—¿Quieres café?

Miro la cafetera, sintiéndome el ser más patético de la tierra.

—No sé.

La palma de la mano de *Pasha* presiona suavemente mi espalda, acariciando de arriba y hacia abajo con un movimiento tranquilizador. Respiro profundamente y levanto la vista para encontrarme con él mirándome. No hay renuencia en sus ojos. No hay reproche. Ni lástima.

—¿Tomabas café antes?

—No —susurro.

—¿Qué tal un té? Creo que tengo de manzanilla. —Abre la alacena, saca un recipiente de metal y lo coloca frente a mí.

Me quedo observándolo.

Me levanta la barbilla con un dedo.

—¿Te gustaba tomar té, Asya?

—Sí.

—Supongamos que aún te gusta. —Sonríe, y es tan hermoso—. ¿Qué te gustaba desayunar antes?

—Cereal con pasas —replico—. Y en ocasiones, en lugar de eso, comía alguno con trocitos de chocolate.

—Entonces compraré algunos de esos. ¿Y otras comidas? ¿Cuáles eran tus platillos favoritos? ¿Eras alérgica a algo?

Resoplo, intentando reprimir las ganas de llorar. Me hace las preguntas de forma que me resulta más fácil responder. No me pide que elija, lo que aumentaría mi ansiedad, sino que me interroga sobre hechos.

—Nunca me gustó el brócoli ni los chícharos. Todo lo

demás me parecía bien —agrego—. Ninguna alergia a ningún alimento.

—¿Preferías pedir comida a domicilio o cocinar tú misma?

—Me gustaba cocinar.

Asiente.

—Hazme una lista de ingredientes y mañana iré al supermercado. Hoy pediremos algo de comer, pero mañana puedes preparar uno de tus platillos.

Me muerdo el labio inferior. Para eso habría que elegir uno de tantos.

—¿Qué tal lasaña para mañana? Creo que nunca he probado una. ¿Te gustaba hacer lasaña?

El peso que me oprime el pecho se disipa. Asiento con la cabeza.

—Bien. Iré por mi teléfono para que me hagas la lista, pero antes, vamos a desayunar. ¿De acuerdo?

—De acuerdo.

Lo sigo por la cocina mientras pone la tetera con agua a hervir y saca el pan. Unta la mermelada metódicamente, asegurándose de distribuirla uniformemente por toda la rebanada.

Tiene una multitud de pequeñas cicatrices que cubren sus nudillos. Sus manos y sus brazos completamente tatuados parecen desentonar con el entorno elegante, casi clínicamente impecable. Aprovecho la oportunidad para examinar un poco mejor su rostro, incluida su fuerte mandíbula y sus pómulos marcados, notando unas cuantas cicatrices en su frente y varias más también en su barbilla. Por último, observo sus ojos. Sin embargo, no puedo distinguir su color, ya que me sobrepasa por lo menos unos treinta centímetros.

Pasha deja de hacer lo que está haciendo y me mira. ¿Por qué tiene los ojos tan tristes? Suelto su camiseta y pongo mi mano sobre su antebrazo. Los músculos bajo mis dedos se tensan y espero que se aparte, aunque no lo hace.

Lo agarro con más fuerza y me apoyo en su costado para sentir más de cerca el calor de su enorme cuerpo. Me llega el débil sonido de la música. Alguien, probablemente un vecino, debe de haber puesto la televisión demasiado alta y, sin pensarlo, tarareo la melodía.

Pavel

Asya está arropada bajo las sábanas. Hace un rato le di una manta extra cuando no paraba de temblar. Ahora está dormida, mientras yo sigo despierto, escuchando su respiración.

Esta mañana estaba bien, sin embargo, después de comer se enfermó y apenas pudimos llegar al baño a tiempo. Le sostuve el cabello mientras vomitaba en el retrete, luego la ayudé a cepillarse los dientes y la cargué hasta la cama. Le volvió a subir la fiebre, aunque no tanto como la primera vez. Como no tengo termómetro, cada cinco minutos le tocaba la frente con el dorso de mi mano, pero parecía que su temperatura era ligeramente elevada. Hace una hora que le bajó la fiebre y por fin dejó de dar vueltas en la cama.

Busco mi teléfono en la mesita de noche y le escribo un mensaje a Kostya preguntándole por la situación en los clubes. Un minuto después, recibo la respuesta: un montón de maldiciones rusas y deseos de que muera lenta y dolorosamente. Por lo visto, no le hace ninguna gracia tener que cubrirme.

Cuando llamé al *Pakhan* y le pedí unos días libres, le

sugerí que Ivan me cubriera. Roman se rio y dijo que le dejaría los clubes a Kostya porque ya era hora de que empezara a hacer trabajo de verdad en vez de dedicarse a perseguir mujeres y gastar condones a menudo.

Kostya empezó a trabajar junto a su hermano, ayudando con las finanzas de la *Bratva* cuando apenas tenía veinte años, pero siempre ha sido un chico problemático. Sin embargo, Roman tiene una debilidad por él, ya que Kostya es el más joven en nuestro círculo de confianza. Supongo que todos la tenemos. Kostya es como el hermano pequeño de todos, y lo utiliza descaradamente a su favor, librándose constantemente de los problemas por su edad. Esperemos que no se le ocurra ninguna locura mientras me sustituye. Si decide transformar mis negocios en clubes de *striptease*, voy a estrangularlo.

Asya se agita a mi lado y rápidamente le toco la frente. No tiene fiebre, gracias a Dios. Cuando retiro mis dedos, me agarra la mano y la apoya en su pecho. Parece que otra vez voy a dormir en la misma cama con ella. Me tumbo a su lado y observo su rostro. Comprendo su razonamiento para no dejarme llamar a su hermano, pero, por otro lado, no lo entiendo en absoluto. ¿No sería más fácil para ella volver a casa con su familia? Nunca he experimentado una dinámica familiar, no obstante, estoy seguro de que su hermano y su hermana harían un trabajo mucho mejor que yo.

Estiro la mano y apago la lámpara, cerrando los ojos. Pero el sueño me evade. ¿Cómo acabó Asya en Chicago? ¿Quiénes son las personas que la secuestraron y la retuvieron? ¿Hay alguna conexión con la hija de Fyodor? Tengo muchas preguntas y ninguna respuesta.

Inclino mi cabeza hacia un lado y observo a Asya mientras duerme. Sigue agarrando mi mano con la suya. Tengo que ir al supermercado a primera hora en la mañana. No puedo dejar que coma pan y mermelada tres días seguidos. También tengo que comprarle artículos de aseo. Y ropa. Aunque me gusta que use mis camisetas.

Un mechón de cabello castaño le ha caído sobre la cara, así que estiro una mano y se lo muevo con cuidado. ¿Por qué dejé que se quedara?

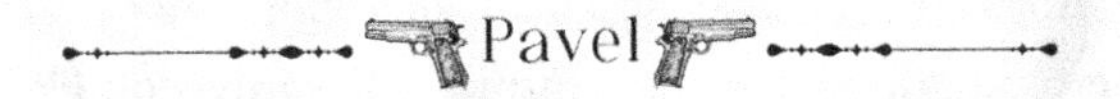

Me paro frente al espejo del baño. Unos *jeans* grises y una camiseta negra yacen doblados sobre el mostrador, junto al lavabo. Me dan asco. No recuerdo la última vez que me puse *jeans*, probablemente hace más de una década.

El problema no son las prendas en sí, sino los recuerdos de buscar entre montones de ropa usada, la mayoría *jeans*, para encontrar algo que me quedara bien. Todo estaba siempre roto y sucio, y yo no tenía dinero para lavar la ropa antes de ponérmela. La gente me evitaba cuando subía al metro, lo que hacía que mi vergüenza fuera casi palpable.

En cuanto empecé a ganar dinero de verdad en peleas clandestinas, cambié todo mi guardarropa de segunda mano por pantalones y camisas de vestir. Luego cambié a los trajes. Con el tiempo, cambié a ropa más elegante y añadí relojes costosos y otros accesorios. Todo era un medio para olvidar lo que había sido durante los primeros veinte años de mi vida. Basura. Alguien de quien la gente desviaba rápidamente la mirada, ignorando mi presencia. Lo curioso es que, aunque han pasado casi quince años, todavía puedo oler el hedor, ya sea de la ropa o de la comida medio podrida que sacaba de los contenedores de basura de los callejones detrás de los restaurantes, que siempre me rodeaba.

Me miro la cara en el espejo, observando las pequeñas cicatrices esparcidas por mis sienes, el puente de mi nariz y mi barbilla. Ya no se ven, apenas se notan, pero aún recuerdo las peleas que me dejaron cada marca. Ni siquiera estoy seguro de cuántas veces me han roto la nariz. ¿Siete? Probablemente más.

Apenas tenía dieciocho años cuando empecé a pelear por dinero. Al principio era una forma de llevarme comida a la boca, pero con el tiempo se transformó en algo más. La gente que venía a verme, que coreaba mi nombre... alimentaban el profundo anhelo que siempre he sentido en mi alma. La necesidad de pertenecer. A alguna parte. A cualquier lugar. La emoción de la multitud al aplaudirme me hizo sentir menos solitario.

No sé exactamente por qué acepté cuando Yuri se me acercó después de una de mis peleas y me ofreció un puesto en la *Bratva*. Quizá quería sentirme más cerca de mi origen. No había niños rusos en los orfanatos cuando yo era pequeño. Para cuando salí del sistema, casi había olvidado mi lengua materna. Los años con la *Bratva* me ayudaron a recuperarla, así que ya no tengo problemas con el idioma. Sin embargo, no es lo mismo. Ya no parece mi lengua materna, pero tampoco el inglés.

Trazo la cicatriz más prominente del lado izquierdo de mi mandíbula con el dedo índice. Por mucho que intente ocultar el pasado, algunos recordatorios, visibles o no, siempre permanecerán.

¿Es por eso que dejé que Asya se quedara? Tal vez reconocí un espíritu afín tratando de escapar del pasado y quise ayudar. Después de todo, sé lo que se siente no tener a nadie a quien recurrir. Pero me temo que es solo una parte de la razón. Mi verdadera motivación es mucho, mucho más egoísta. He estado solo toda mi vida y me he acostumbrado a ello. Es la forma en que funciono. Después de que Asya se cruzara en mi camino, me di cuenta de lo solo que había estado y de lo mucho que disfruto teniéndola aquí, en mi casa. Disfruto del confort que me da su presencia. Lo anhelo, de hecho, tanto que he aceptado ocultarle a su familia que está viva.

Levanto los *jeans*. Es uno de los cinco que pedí ayer por internet después de darme cuenta del efecto que los trajes le causaban a Asya. No puedo seguir andando en pijama todo el día, y definitivamente no puedo usarla para ir a la tienda.

Respirando profundamente, me pongo los *jeans*.

Asya

Al menos quince bolsas se alinean en el mostrador en una fila perfecta. *Pasha* compró demasiadas cosas.

Cuando volvió de la tienda hace una hora, tuvo que volver al coche dos veces para subir todo. Después de colocar la última bolsa al final de la larga fila, me pidió que guardara lo que había traído y que preparara el almuerzo. Luego tomó su *laptop* y, diciendo que tenía trabajo que hacer, desapareció en su habitación.

Saco las cosas de la primera bolsa, dejando lo que necesito para la lasaña en la isla de la cocina y guardando el resto. Debería haber sido más específica con mi lista de compras. Supuse que compraría cualquier marca de pasta o salsa de tomate que encontrara primero, pero en lugar de eso, debe de haber comprado todos los tipos disponibles en la tienda. En las primeras bolsas hay cuatro marcas distintas de pasta para lasaña, tres salsas de tomate, seis tipos de otras clases de pasta y al menos diez variedades de quesos.

Saco las cajas de cereales de las tres bolsas siguientes y las cuento. Hay doce tipos diferentes: de avena, de soya, de trigo, algunos con frutos secos o pasas, uno con miel, otros incluyen chocolate y un par más con almendras.

Miro por encima de mi hombro hacia la puerta de la habitación. Esperaba que *Pasha* se quedara en la cocina o en la sala, pero no ha vuelto. Sin embargo, aunque no esté en la misma habitación que yo, saber que está aquí hace retroceder la terrible voz de mi cabeza.

Al terminar de guardar los alimentos, miro las últimas bolsas de la encimera. Son grandes bolsas de una *boutique* con cintas anchas como asas. *Pasha* dijo que me compraría algo para ponerme. Esperaba unos pantalones deportivos y algunas camisetas, pero las bolsas que tengo ante mí están llenas de ropa. ¿Debería sacar la ropa? Solamente mencionó lo de la comida cuando me pidió que guardara las cosas que había comprado. Me doy la vuelta y me dirijo a la isla de la cocina para preparar la lasaña.

Cocinar vistiendo únicamente la camiseta de otra persona y sin nada debajo es raro. Sobre todo, en la cocina de un hombre al que no conozco. Raro, pero al mismo tiempo es liberador. Me concentro en la tarea que tengo por delante mientras una tenue melodía suena en el fondo de mi mente.

Pavel

—No, no puedes llevar a los compradores a Ural, Sergei —expreso al teléfono y suspiro.

—¿Por qué demonios no? ¿Ya viste cómo está afuera? Hace un frío del carajo. Se me van a caer las pelotas si los llevo al almacén sin calefacción y tengo que escuchar sus tonterías durante más de diez minutos.

—La última vez que dirigiste una reunión en mi club, el equipo de limpieza se pasó dos horas intentando limpiar la sangre y los sesos de la cabina VIP.

—¡Eso fue hace años, *Pasha*! —brama—. Y cambiaste la tapicería a cuero oscuro el mes pasado. Lavar la sangre de eso es pan comido.

—Dije que no.

—*Mudak* —murmura y cuelga.

Sacudo la cabeza y vuelvo al pedido de licores que he estado revisando en mi *laptop*. Como no iré al club, tenía que ocuparme de los asuntos más urgentes e informar a Kostya del resto. Puede que sea bueno con los números, pero la logística no es su fuerte. Miro la hora en la esquina de la pantalla y veo que es poco después del mediodía. Debería ver cómo está Asya otra vez.

Llevo tres horas sentado en el escritorio de mi habitación, pero le he echado un vistazo a Asya cada quince minutos para asegurarme de que está bien. Parecía inmersa en la preparación del almuerzo, y su postura relajada indicaba que estaba disfrutando del proceso. La última vez que la vi, la escuché tararear una melodía complicada. Espero encontrarla revoloteando por la cocina esta vez también, sin embargo, no está por ninguna parte.

—¿Asya? —llamo mientras atravieso la sala apresuradamente, pero no hay respuesta.

Paso junto a la mesa del comedor, donde hay platos y tazones de ensalada para dos. Entre ellos hay una gran bandeja de lasaña cortada en cuadrados. Doy la vuelta a la isla de la cocina y me detengo. Asya está sentada en el suelo, con la espalda pegada a la despensa y los brazos rodeándole las piernas. Mira fijamente a la ventana de la pared del fondo, con pánico en sus ojos.

—¿Asya? —Me agacho a su lado y le pongo la mano en la nuca—. ¿Qué pasa?

—Está… nevando —musita, con los ojos fijos en la escena que tiene enfrente.

—¿No te gusta la nieve? —pregunto.

—Ya no. —Es su respuesta apenas audible.

—Asya, mírame a los ojos, nena. —Le rozo la mejilla con el pulgar—. Por favor. —Respira profundamente y gira la cabeza. Tiene una mirada atormentada. Al verla, me duele el pecho—. Voy a bajar las persianas —indico—. ¿Está bien?

—Bien.

Cierro rápidamente las persianas de la cocina, me dirijo a la sala para cerrar las pesadas cortinas y vuelvo corriendo. Asya no se ha movido, pero ahora está mirando al suelo.

—Perdón —susurra y me mira con los ojos llorosos.

Me agacho frente a ella y tomo su cara entre mis manos.

—No tienes por qué pedirme perdón.

—Soy una persona sin agallas —declara y aprieta los labios con fuerza.

Me inclino hacia delante hasta que mi cara queda a escasos centímetros de la suya.

—Estás reaccionando por los recuerdos. Tu mente se desencadena por varias cosas, mas eso no significa que seas débil. ¿Lo entiendes?

Suspira y cierra los ojos. Algo se rompe dentro de mí al verla tan derrotada. Aprieto los dientes. Necesito mantener la calma por el bien de Asya ahora, pero al final, voy a aniquilar a los hijos de puta que le hicieron esto.

—*Mishka*. Mírame.

Sus ojos se abren.

—No eres débil —aseguro—. Lucharás y mejorarás. Te lo prometo.

Me mira durante unos instantes y luego se inclina hacia delante para acercar su boca a mi oreja, zafándose de mi agarre en el proceso.

—Maté a un hombre —confiesa en un susurro—. La noche que escapé. Maté a mi cliente.

Me muerdo para contener la rabia.

—Bien —expreso apretando los dientes.

—No me arrepiento. Debería arrepentirme. Sin embargo, no lo hago. —Me rodea el cuello con el brazo y presiona su mejilla contra la mía—. ¿Eso me convierte en una mala persona?

—No. Te defendiste de un depredador sexual que te violó de la forma más terrible. De hecho, le hiciste un favor.

—¿Le hice un favor?

—Sí. Porque si tú no lo hubieras matado, lo habría hecho yo. Y, créeme, cualquier cosa que le hayas hecho ni siquiera se compararía con lo que yo le habría hecho. —Le aprieto ligeramente la nuca—. Ven a mostrarme lo que preparaste. Es la primera vez que alguien cocina para mí.

Asya se reclina hacia atrás, con su cara de nuevo frente a la mía, y me pone la mano en la mejilla.

—Gracias. Por todo.

Capítulo cinco

Me pongo la pijama que *Pasha* me compró y me veo en el espejo del baño. La parte de arriba no está tan mal, quizá una o dos tallas más grande. Los pantalones son otra historia. Tuve que doblar la cintura y los puños de las piernas más de dos veces para asegurarme de que no se me cayeran y no tropezara al caminar. Observé la etiqueta y vi que es talla mediana. Normalmente uso la talla extrapequeña.

El resto de la ropa que compró yace doblada en el gran mostrador que hay junto al lavabo. También son todas de talla mediana. O *Pasha* nunca ha comprado ropa de mujer o no sabe adivinar muy bien las tallas. Me doy cuenta de que hay dos estantes vacíos en el armario del otro extremo del baño, así que pongo la ropa allí. No quiero entrometerme en su espacio más de lo que ya lo he hecho. Todavía no puedo creer que me haya dejado quedarme.

Cuando salgo del baño, *Pasha* está saliendo de su armario vistiendo una pijama gris oscuro y una camiseta negra.

—Dejaré la puerta abierta —señala—. Si necesitas algo, estaré en la habitación de enfrente.

Mi cuerpo se pone tenso al escuchar sus palabras. Me rodeo con los brazos, asiento con la cabeza y me dirijo hacia la cama.

—¿Asya? ¿Todo está bien?

—Sí. —Me meto en la cama y miro hacia la pared, subiéndome las sábanas hasta la barbilla.

La habitación se queda en silencio un momento, pero entonces escucho el ruido de unos pies descalzos que se acercan.

—¿Qué pasa?

Agarro la manta con la mano.

—¿Puedes volver a dormir aquí?

—¿Aquí? ¿En esta cama?

—Por favor.

No dice nada. Aprieto los ojos, odiándome por pedírselo. Probablemente piensa que soy una debilucha. Como si usurpar su vida y su espacio no fuera suficiente, le estoy pidiendo que siga durmiendo en la misma cama conmigo. Abro la boca para decirle que he cambiado de opinión cuando la cama se hunde detrás de mí.

Deslizo mis manos bajo la almohada, esperando que eso me impida voltearme hacia él y acurrucarme en su pecho. Esta inexplicable atracción que siento hacia él me confunde, pero también hace que me sienta asqueada de mí misma. Me han violado y utilizado de las formas más degradantes, así que lo que debería sentir por *Pasha* y por cualquier otro hombre es odio, miedo y repulsión. En cambio, me siento atraída por él. Aunque en todo el tiempo que llevo aquí, él no ha intentado nada ni una sola vez, no me ha tocado de ninguna forma que pudiera considerarse sexual.

«Es porque eres asquerosa», susurra la voz en mi mente. *«Una basura que ningún hombre querría tocar. ¿Cuántas pollas han estado dentro de tu coño? ¿Demasiadas para contarlas?»*.

Giro la cara hacia la almohada. ¡Necesito que pare!

«¿Sabes lo que eres? Una puta. Una puta sucia y asquerosa».

El ancho brazo de *Pasha* me rodea la cintura y me atrae hacia su cuerpo hasta que mi espalda queda pegada a su pecho.

—Háblame —gruñe contra mi cabello.

Un escalofrío recorre mi cuerpo debido a su cercanía, y no es una sensación mala.

—¿Por qué no llamaste a mi hermano y te deshiciste de mí? —pregunto.

—Porque entiendo la necesidad de lidiar con tu situación por ti misma. Y porque sé lo que se siente cuando la gente se deshace de uno. —El brazo alrededor de mi cintura me aprieta—. Nunca le haría eso a alguien.

—Estás encerrado aquí conmigo. ¿No tienes que ir a trabajar?

—Alguien me está sustituyendo. No obstante, mañana tengo que ir a una reunión con el *Pakhan*. No tardaré.

Mi cuerpo se pone rígido y el pánico se apodera de mi estómago. Es completamente antinatural, la forma en que me he apegado a él, pero no puedo deshacerme de la sensación de pavor que se forma ante la idea de que no esté cerca.

—Está bien —susurro.

—¿Podrías reconsiderar lo de hablar con la psiquiatra?

Aprieto los labios y niego con la cabeza. *Pasha* lleva desde esta mañana intentando convencerme de que hable con la doctora de salud mental. Dice que tiene experiencia con casos como el mío. No puedo hacerlo. La sola idea de hablar de ello con alguien que no sea *Pasha* me da náuseas.

—Muy bien, *Mishka*. Démosle unos días más.

—¿Significa algo? ¿*Mishka*?

—*Osito*. Como un osito de peluche.

Me llama osita. Qué apodo de cariño tan extraño. Giro la cabeza para verlo.

—¿Es porque me gusta colgarme de ti?

—Sí. —Levanta su mano como si fuera a tocarme la cara, pero se aparta—. Vamos a dormir.

Asiento con la cabeza y vuelvo a mirar hacia la pared, fingiendo que intento dormir. No puedo superar el hecho de que dijera que sí cuando le pregunté si podía quedarme en lugar de enviarme de vuelta con mi familia. Fue tan descabellado que estaba segura al cien por ciento de que se negaría. Y no lo hizo. Y todavía me cuesta creer que aceptara no decirle a nadie quién soy.

Un ligero roce me acaricia la nuca. No estoy segura de lo que es, pero parece un beso.

Capítulo *seis*

—¿Esa chica sigue en tu casa? —cuestiona Roman en cuanto entro a su oficina.

—Sí. —Asiento con la cabeza y tomo asiento junto a Maxim.

—Bien. Tienes que preguntarle cómo consiguió las drogas. Yuri sigue sin localizar al tipo que suministraba las pastillas, así que tu chica es nuestra única pista.

Miro a mi *Pakhan* y niego con la cabeza.

—No.

—¿No? —Abre sus ojos de par en par.

—Si ella misma me dice algo, te lo haré saber. Pero no voy a obligarla a hablar a menos que ella quiera.

—¿Por qué no iba a querer?

—¿Doc no te lo dijo? —pregunto.

—¿Decirme qué? Dijo que encontraste a la chica, que tuvo una sobredosis y que la llevaste a casa.

—Abusaron sexualmente de ella, Roman. Creo que la gente que la tenía dirigía una red de prostitución.

Roman me observa fijamente, con un tic muscular en la mandíbula. El bolígrafo que tiene en las manos se rompe en dos. El tema de las mujeres que son víctimas de abusos siempre ha sido un asunto delicado para él.

—¿La chica está bien? —inquiere con los dientes apretados.

—Está mejor.

—Bien. No le preguntes nada. —Asiente y vuelve su atención hacia Maxim—. ¿Cuál es el asunto con los albaneses que querías discutir?

Maxim se quita los lentes y cruza los brazos sobre el pecho.

—Parece que de repente han obtenido una gran cantidad de dinero. Uno de los chicos de Anton nos informó que vio al yerno de Dushku gastando una suma disparatada en uno de los casinos de la *Cosa Nostra.*

—¿Cuánto?

—Decenas de miles por noche. Varias noches seguidas.

—Julian es un idiota que nunca ha trabajado para ganar un centavo. Ha estado sacándole dinero a Dushku durante años.

—Bueno, parece que de repente tiene más de lo que puede gastar —señala Maxim—. ¿Podría estar involucrado en este nuevo asunto de las drogas?

—Más le vale que no. Porque si alguien de la organización criminal albanesa se atrevió a introducir sus drogas en mi territorio, no les gustarán las consecuencias de su decisión. Le dejé las cosas muy claras a Dushku cuando tuvimos nuestra pequeña charla hace unos meses, después de la metida de pata con los irlandeses.

—¿Qué pasó con los irlandeses? —pregunto. Como

me dedico sobre todo a dirigir los clubes, no siempre estoy al día de otros asuntos. Lo último que recuerdo de los irlandeses es que intentaron acabar con la *Bratva* hace unos años y casi matan a Kostya. Sergei eliminó a su líder y a varios otros hombres de alto rango, y Roman echó al resto de Chicago.

—Se establecieron en New York —continúa Roman—. Don Ajello me envió un mensaje hace unos meses, diciendo que Dushku empezó a colaborar con los irlandeses y les entregó un gran cargamento de armas. Dushku lo hizo a pesar de conocer muy bien mi postura sobre los irlandeses.

—¿Fue solamente un cargamento? —curioseo—. ¿O Dushku sigue trabajando con ellos?

—Solo uno. Poco después, Ajello se encargó de los irlandeses porque el idiota de Fitzgerald secuestró a su esposa. Ajello se volvió una fiera.

—¿Mató a Fitzgerald?

—Lo fileteó él mismo con un cuchillo. —Roman sonríe—. No conozco al hombre, pero ya me cae bien.

—¿Qué planeas hacer con los albaneses, Roman? —añade Maxim.

—¿Tenemos a alguien dentro que pueda vigilar lo que están haciendo? Necesitamos saber de dónde vino ese dinero.

—Una de las camareras de Baykal visita a Dushku regularmente —revelo—. Quizás ella pueda persuadirlo para que hable de sus negocios.

—Intentemos eso por ahora —asiente—. Si al final resulta que Dushku está detrás de esto, voy a destriparlo personalmente.

Cuando salgo del auto y me dirijo a la entrada de mi edificio de apartamentos, veo un vehículo conocido estacionado frente a la entrada. Yuri está sentado al volante de su camioneta SUV blanca y me hace señas para que me acerque.

—¿Qué pasa? —pregunto mientras me deslizo en el asiento del pasajero.

Apoya sus codos en el volante y me clava la mirada.

—No lo sé. Tú dímelo.

—Nada. ¿Por qué?

Sacude la cabeza y mira hacia la calle, más allá del parabrisas.

—Te conozco desde hace diez años, *Pasha,* así que no me vengas con esa mierda. ¿Estás planeando dejar la *Bratva*?

—No. ¿Por qué piensas eso?

—Dejaste que Kostya se hiciera cargo de tus clubes. Prácticamente has vivido en Ural y no dejabas que nadie te cubriera, *nunca*. Cuando traté de convencerte de tomar un descanso hace unos meses, dijiste que no puedes funcionar a menos que estés trabajando.

—Bueno, he decidido tomarme ese descanso ahora.

—Entonces, ¿vas a volver?

Me reclino en el asiento y observo hacia mi edificio. Han pasado unas tres horas desde que salí para la reunión con Roman, y he pasado cada segundo de ese tiempo pensando en Asya. *«¿Se encontrará bien? ¿Habrá comido? ¿Y si tiene hambre y no puede decidir qué preparar? ¿Tendrá miedo por haberse quedado sola? ¿Y si vuelvo a casa y ya no está?».*

—Volveré, Yuri. No te preocupes.

—¿Cuándo?

—Cuando ella se vaya —expreso, mirando hacia las ventanas del tercer piso. No puedo ver las luces del interior porque las persianas están cerradas. ¿Y si se volvió a asustar? Odio dejarla sola.

—¿Ella? ¿La chica que tienes en tu casa?

—Sí.

—¿Ustedes dos… tienen una relación?

—No.

—No lo entiendo.

Miro a mi amigo. Tiene la mandíbula apretada y hay preocupación en su mirada. A sus sesenta y cinco años, Yuri es el mayor de los miembros del círculo de confianza de la *Bratva*. Se ha convertido en una figura paterna para los soldados que trabajan bajo sus órdenes, pero también es ferozmente protector con el resto de los hombres de la *Bratva*, independientemente de su posición. Siempre me ha parecido extraño cómo puede preocuparse tanto por los que no son parte de su familia, mientras que hay gente en el mundo a la que le importa un carajo su propia sangre.

—¿Alguna vez has conocido a alguien que se siente como si fuera una pieza que te falta? —curioseo—. ¿Una pieza que ni siquiera sabías que te faltaba hasta que apareció en tu vida?

—No, la verdad es que no. ¿Crees que esa chica es la tuya?

—La conozco desde hace una semana.

—Eso no es lo que te pregunté.

—Lo sé. Pero en realidad no importa. De todos modos, ella se irá pronto. —Agarro la manija de la puerta—. Volveré al trabajo tan pronto como ella se marche.

—Quizá no quiera irse.

—Sí, claro —replico y salgo del coche.

Estoy de pie en medio de la ducha, mirando las dos botellas que hay en la repisa de la esquina. La negra es el jabón líquido para hombres que llevo usando desde que llegué. Tiene un aroma amaderado con un toque de cítricos y salvia. Estaba ahí desde el principio, y era el único. Ahora, hay un gel de ducha diferente a su lado. Una botella rosa con flores. *Pasha* debe haberla traído y dejado aquí para mí. Respiro profundamente y me estiro para tomarla, pero en el momento en que mis dedos se acercan a la botella, la ansiedad se apodera de mi pecho. Vuelvo a mirar la botella negra y muevo la mano hacia ella. La ansiedad se intensifica. Dejo caer mi mano. Paso más de quince minutos observando las estúpidas botellas de jabón y apretando los dientes hasta el punto en que me duele la mandíbula. Finalmente agarro ambas y las envío volando a través del baño, donde chocan contra la pared y caen al suelo.

Se escucha un golpe en la puerta.

—¡Asya!

Apoyo mi espalda contra la pared de azulejos mientras

respiro entrecortadamente. Es la primera vez que intento ducharme sin que *Pasha* esté en el baño conmigo. Me sentí tan orgullosa de mí misma cuando le dije que no tenía que entrar conmigo. Sonrió un poco y dijo que se quedaría al otro lado de la puerta por si acaso.

—¿Asya? —Otro golpe—. ¡Voy a entrar!

La puerta se abre de golpe y *Pasha* entra corriendo, mirando a su alrededor. Sus ojos se posan en las botellas tiradas en el suelo y luego me mira a mí. Su mirada gris metálico, y no azul claro como pensé en un principio, me recorre de pies a cabeza, interrogante, examinadora… preocupada. Su intensidad me atrae y me ancla de un modo que alivia mi ansiedad.

—No pude elegir qué maldito gel de ducha usar —contesto y cierro los ojos, sintiéndome completamente derrotada.

—¡Mierda! —murmura *Pasha*. Unos segundos después, su palma áspera acaricia mi mejilla—. Lo siento. No lo pensé.

—No es culpa tuya que sea un caso perdido —suspiro.

—No eres un caso perdido, *Mishka*.

—Sí, claro —resoplo—. Deberías llevarme al psiquiátrico más cercano y dejarme allí.

—Asya, mírame.

Abro los ojos y lo encuentro de pie frente a mí, con su mano aún en mi mejilla y la otra en la pared junto a mi cabeza.

—Todo va a mejorar —asegura—. Te lo prometo.

—No lo sabes.

—Lo sé. Eres una luchadora. Llevará tiempo, pero mejorarás. Vamos, vamos a asearte. ¿De acuerdo? —Asiento a regañadientes—. Bien. Traeré el gel de ducha.

Lo veo caminar hacia el otro extremo del baño y recoger las botellas del suelo. Luego, vuelve al interior del espacio de la ducha.

—Este es mío —indica mientras vuelve a colocar el negro en la repisa—, y el rosa es tuyo. Usarás ese.

¿Cómo puede estar tan tranquilo? Es como si mi berrinche no le molestara en absoluto.

—Ahora, ¿cuál es el problema? —Me mira.

Me muerdo el labio inferior.

—Las toallas.

—¿Las toallas?

—Las toallas de baño. Tienes azules y blancas. —Sigo usando las toallas de mano después de ducharme porque esas son todas blancas.

—Yo usaré las azules. Tú las blancas. ¿Te parece bien? —Asiento con la cabeza, sintiéndome como una completa idiota. Los dedos de *Pasha* agarran ligeramente mi barbilla, inclinando mi cabeza hacia arriba—. ¿Algún otro problema con el baño?

—No —musito.

—De acuerdo. ¿Debería esperar aquí?

No quiero que se vaya, no obstante, sacudo la cabeza de todos modos. No es fácil, pero después de sus instrucciones, puedo ducharme sola porque sé que él seguirá cerca.

Sonríe.

—Dúchate. Vístete. Estaré esperando afuera y desayunaremos cuando termines.

El pulgar de *Pasha* roza ligeramente mi mandíbula antes de apartar su mano de mi cara. Se da la vuelta y sale del baño. Lentamente, levanto la mano y recorro el camino de sus caricias.

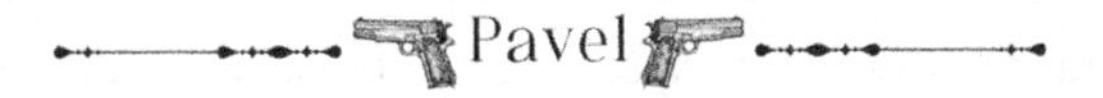

Pavel

Coloco una caja de cereal en el mostrador frente a Asya y me dirijo a la nevera por la leche. Cuando pongo el cartón junto al cereal, ella intenta tomarlo, pero yo tomo su mano entre las mías.

—Todavía no —ordeno.

Con la mano que tengo libre, abro la alacena y saco un tarro de mermelada. Lo coloco junto a la caja de cereal, agarro la mantequilla de cacahuate y el pan, y lo pongo todo sobre el mostrador. Asya inclina la cabeza hacia un lado, mirándome.

Me coloco detrás de ella y señalo con la cabeza lo que hay sobre el mostrador.

—¿Qué quieres desayunar?

Asya mira el surtido de comida y aprieta los labios.

Lleva aquí dos semanas. Todas las mañanas le he dado leche y elegido un cereal, asegurándome de que cada vez fuera de un sabor diferente. Asya siempre nos preparaba un tazón a ambos y desayunábamos en el comedor. Se angustia cuando tiene que tomar la decisión más simple, así que me he esforzado por hacérselo más fácil. Sin embargo, ya es hora de que salga de su zona de confort, aunque sea un poquito.

—¿Por qué haces esto? —indaga entre dientes.

—¿Qué?

—Pedirme que elija.

—Si no puedes hacerlo, te ayudaré. —Intento ponerle la mano en la cintura, pero me detengo y en vez de eso apoyo la mano en el mostrador frío—. Pero quizá puedas intentarlo. Solo es comida. No puedes equivocarte, así que no te preocupes.

Se agarra al borde del mostrador que tiene enfrente y se queda observando fijamente las cosas. Pasa un minuto. Luego cinco más.

—Está bien —aseguro—. Tómate tu tiempo.

La necesidad de acariciarle la espalda o darle un beso en el cabello me está matando. Una vez me olvidé de mí mismo y la besé en la nuca. Con suerte, ya estaba dormida y no se dio cuenta. Probablemente se sentiría asqueada si descubriera que me siento atraído por ella. Es malo en muchos sentidos. Cuando mencionó el otro día que solo tiene dieciocho años, solo empeoró la situación. Es quince años más joven que yo. Necesito mantener mi distancia tanto como sea posible.

—No puedo. —Las uñas de Asya arañan el mostrador mientras aprieta con más fuerza, con la mirada fija en la caja de cereal.

—Claro que puedes —insisto mientras lucho contra la necesidad de tocarla.

Me destroza cada vez que la veo sufrir por tomar una decisión, aunque sea la más simple. Sigue sin querer hablar con la psicóloga, así que la he llamado cada dos días para pedirle asesoramiento. La psicóloga me recomendó crear una situación en la que Asya tuviera que tomar una pequeña decisión, pero se supone que no debo presionar si eso la hace sentir demasiado incómoda. La doctora me dice siempre que, para que Asya mejore, necesita ayuda profesional. Sin embargo, eso solamente puede ser posible si Asya está dispuesta a aceptarla.

Unos segundos después, veo que la mano derecha de Asya avanza hacia el cereal y luego se detiene. Acerco la caja, pero me aseguro de que aún está lo bastante lejos como para que ella tenga que alcanzarla.

—Dijiste que te gustaba comer cereal en casa —le recuerdo—. ¿Crees que tus preferencias han cambiado?

—No.

—Entonces es seguro decir que elegirías el cereal. Vamos, unos centímetros más.

Asya frunce los labios y, al instante siguiente, su mano acorta la distancia que la separa de la caja. La agarra y la aprieta contra su pecho como si fuera algo absolutamente valioso.

—Lo logré —murmura.

—¿Ves? Todo mejorará.

Gira y me rodea la muñeca con la mano que tiene libre mientras su mirada se clava en la mía. Su mano se mueve hacia arriba, a lo largo de mi antebrazo.

—Gracias —pronuncia y se inclina un poco hacia mí.

—Cuando quieras, *Mishka*. —Doy un paso atrás renuentemente—. Vamos a comer. Me muero de hambre.

Una expresión extraña se dibuja en el rostro de Asya y su mano se suelta de mi brazo. Se da la vuelta y se ocupa de servir la leche y el cereal en tazones negros iguales. Creo que nunca los había usado antes de que ella llegara. De hecho, más de la mitad de los utensilios de cocina estaban sin usar, ordenados en cajones y armarios. De todo lo que tengo, solamente he usado dos platos, algunos vasos y algunas tazas de café. No estoy seguro, pero puede que haya usado la estufa únicamente una o dos veces.

Cuando Asya termina de servir el cereal, llevo los tazones al comedor. Ella me sigue un paso detrás, agarrando el dobladillo de mi camiseta con su mano, algo que sigue haciendo casi siempre. Solo cuando llego a la mesa me suelta y se sienta a mi derecha.

Siempre está muy callada. Cuando come. Cuando camina

por mi casa. Incluso cuando cocina. No hay ruido de ollas o cubiertos, ningún ruido en absoluto a menos que esté tarareando para sí misma. No puedo descifrar la canción, aunque la melodía me suena familiar.

Me pregunto si antes era tan callada o si es una consecuencia de todo lo que le ha pasado. Pero aún queda fuego en ella. Puede que esté reprimido en lo más profundo, sin embargo, está ahí. Quienquiera que la haya lastimado, no lo extinguió por completo.

—¿Lista? —pregunto.

Asya está de pie en medio de la habitación con sus brazos envueltos alrededor de su abdomen.

—No.

—Tenemos que conseguirte algo de ropa. Nada de lo que compré te queda bien . —Señalo con la cabeza la camiseta que tiene puesta, al menos dos tallas más grande. Los *jeans* que tiene puestos también están remangados. ¿Cómo pude meter tanto la pata? Cuando compré la ropa, me parecía pequeña. Puede que Asya se quede poco tiempo conmigo, pero no dejaré que ande por ahí doblándose las mangas de las camisetas sin parar. Quiero que se sienta cómoda—. La tienda está cerca y seremos los únicos allí.

Asya mira al suelo, mordiéndose el labio inferior.

—Asya. Mírame, nena —pido, y ella levanta la cabeza renuentemente—. No te soltaré la mano pase lo que pase. Estarás a salvo.

—Dijiste: *a salvo* —murmura—. No dijiste: *todo estará bien*. ¿Por qué?

—Porque probablemente no será así. Puede que te asustes porque es la primera vez que sales a la calle después de casi tres semanas. Puede que incluso te pongas histérica. —Le aprieto la mano—. Pero estarás a salvo todo el tiempo. ¿Entiendes lo que te digo, *Mishka*?

Los ojos de Asya encuentran los míos y, por un momento, me sorprende la confianza que veo en sus profundidades. Roman me confió sus clubes cuando me asignó su administración. Sin embargo, nadie me había confiado su vida antes. Sentirse seguro es una de las necesidades humanas más básicas, y ella acaba de depositar su fe en mí.

—¿Quieres ir en auto o caminando? —pregunto—. Solo está a dos calles.

Me mira con los labios apretados. Parece que aún le cuesta tomar decisiones por sí misma, sin embargo, está mejorando. Esta mañana abrió la nevera y sacó la leche para prepararse cereal para desayunar, probablemente lo hizo sin pensarlo. Antes de hoy, se quedaba mirando dentro de la nevera hasta que yo venía y sacaba la leche para ella. Nunca lo admitiría, porque es absolutamente egoísta, pero en secreto disfruto haciéndolo.

Nunca he necesitado a nadie, o mejor dicho, nunca me he permitido necesitar a nadie. Y nadie me ha necesitado jamás. Ese concepto me era completamente desconocido hasta ahora. La idea de que Asya me necesite alimenta un sentimiento de anhelo que antes no podía nombrar.

Seguimos compartiendo mi cama. Durante las dos primeras noches, pensé en quedarme en una de las otras habitaciones, mas veía el miedo en sus ojos cuando intentaba irme y volvía a tumbarme a su lado. En algún momento, dejé de intentarlo. Me encanta cómo se acurruca contra mí cuando se despierta de una pesadilla, como si estar cerca de mi persona bastara para ahuyentar a los monstruos.

—Entonces, iremos caminando —afirmo y salgo de la habitación con ella siguiéndome, con su mano fuertemente agarrada a la mía.

Somos los únicos clientes de la pequeña *boutique* que elegí. Hace un rato llamé al dueño y le pedí que no dejara entrar a nadie más hasta que termináramos. También le pedí que desalojara la tienda de todo el personal, excepto la empleada de la caja registradora, a la que se le dijo que no abandonara su puesto.

Asya se detiene en medio de la tienda y mira a su alrededor, recorriendo con la mirada los largos percheros de ropa y las repisas con zapatos. Lo asimila todo, inhala profundamente y me aprieta la mano.

—Empecemos por la ropa interior —señalo y la conduzco a la esquina más alejada de la tienda.

Asya echa un vistazo a las prendas en exhibición, pero no hace ningún movimiento para tomar algo. Sus ojos recorren la ropa interior y se detienen en algunas prendas unos segundos más que en otras. Normalmente son los colores brillantes los que llaman su atención. Pasa por alto las prendas blancas como si no existieran.

Presto atención a su mirada mientras observa la lencería en exhibición, fijándome en cada artículo en el que sus ojos se posan durante una fracción de segundo más que en el resto. Cuando termina, tomo la talla más pequeña de cada prenda que le llamó la atención.

—¿Está todo bien? —La miro y veo que me está observando. Tiene los ojos llenos de lágrimas. Le rozo la mejilla con el dorso de la mano y señalo el perchero a mi izquierda—. Ahora vamos con las camisetas.

Repetimos el proceso en todas las secciones de la tienda y, como mis manos acaban llenas de ropa, Asya pasa a sujetarme la manga de la chaqueta. Cuando llegamos al probador, entro y dejo el montón de ropa, junto con el abrigo amarillo que estuvo mirando durante casi un minuto y dos pares de zapatos, en el banco junto al espejo.

—Puedes soltarme la chaqueta y probarte todo —ordeno.

Ella asiente pero no la suelta.

Tomo la primera camiseta del montón y se la ofrezco.

—Estás a salvo, *Mishka*. Nadie puede hacerte daño mientras yo esté aquí.

Asya levanta un poco las comisuras de sus labios y me suelta lentamente.

Tarda más de media hora en probárselo todo, y unas pocas prendas acaban siendo demasiado grandes. Recojo la ropa que le queda bajo el brazo y, tomándola de la mano, salimos del probador. Mientras pago en la caja registradora, el tintineo de las campanas sobre la puerta suena detrás de nosotros. Me doy la vuelta justo a tiempo para ver a un hombre mayor vestido con un traje gris que entra en la tienda.

—¡Señor Morozov! —Sonríe, caminando hacia nosotros—. Espero que su experiencia en la tienda haya sido como esperaba.

Asya se tensa y su mano aprieta la mía con fuerza. La miro y veo que está observando horrorizada al gerente de la tienda.

—Ven, nena. —Insto, pasándole el brazo por la cintura. Ella brinca y envuelve con fuerza sus brazos y piernas a mi alrededor en una pose familiar.

—¿Todo fue de su agrado? —El idiota continúa divagando mientras se acerca a nosotros—. Yo específicamente…

Agarro al gerente de la tienda por el cuello de su camisa de vestir con la mano que me queda libre mientras sostengo a Asya con la otra. Lo sacudo y lo estampo contra el pilar de concreto que hay junto a la caja registradora.

—¿Qué demonios te dije? —le bramo a la cara.

—Yo… Yo… ¡por favor!

—Dije que solamente una persona, una mujer, podía estar aquí hasta que nos fuéramos. —Lo empujo contra el pilar otra vez, y una vez más—. ¿Eres una mujer, carajo?

—No… por favor…

—No. ¡No lo eres! —reviro.

Unos dedos recorren mi cabello. Una vez. Dos veces. Giro ligeramente la cabeza hacia un lado y mi mejilla se apoya en la de Asya.

—No lo hizo con mala intención —me susurra al oído.

—El camino al infierno está empedrado de buenas intenciones —pronuncio—. ¿Conoces esa frase?

—Sí. —Me acaricia de nuevo el cabello—. Es tan cierta como estúpida. Deja que el hombre se vaya.

—Nadie te asusta y se va sin castigo. —Suelto la camisa del gerente de la tienda y le doy una bofetada antes de girarme hacia el mostrador para recoger nuestras bolsas.

Salgo de la tienda con Asya en brazos y la cargo por las dos calles hasta mi edificio. Algunas personas con las que nos cruzamos nos observan estupefactas, pero enseguida apartan la mirada cuando ven el ceño fruncido que tengo en la cara. La mayor parte de la tensión de Asya se calmó poco después de salir de la *boutique,* sin embargo, sigue con su cara acurrucada en el pliegue de mi cuello, y sus brazos y piernas aferrándose a mí con todas sus fuerzas. Estúpido hijo de puta, debería haberle roto el cuello por asustarla. Todavía estoy tan jodidamente furioso que tengo que resistir las ganas de darme la vuelta y hacer exactamente eso.

Cuando llegamos a mi edificio, ni siquiera saludo al guardia de seguridad del vestíbulo, sino que me dirijo directamente al ascensor y presiono el botón del tercer piso con el codo. En cuanto estamos en mi apartamento, dejo caer las bolsas al suelo y me dirijo a la sala. Asya sigue pegada a mi cuerpo mientras me siento en el sofá.

—Ya puedes soltarme, *Mishka* —declaro mientras le acaricio el cabello con la mano.

Ella niega con la cabeza y aprieta más su cara contra mi cuello. Se le escapa un suave suspiro y siento algo húmedo en mi piel.

—Por favor, no estés triste, nena.

Asya respira profundamente y se aleja, mirándome. Le caen lágrimas por las mejillas y tiene los ojos enrojecidos e hinchados. Pero no parece estar triste. Parece estar furiosa.

—¡Estoy harta de esto! —brama entre dientes y me agarra de la chaqueta—. Tan. Jodidamente. Harta.

—Lo sé.

Me suelta la chaqueta y toma mi cara entre sus manos, mirándome fijamente a los ojos.

—Quiero ir al centro comercial.

Nos miramos intensamente. Siento como si pudiera

ahogarme en las oscuras profundidades de sus ojos, me cuesta pensar con claridad.

—Asya, no creo que sea una buena idea.

—No puedo vivir así. Entrando en pánico por las cosas más básicas. Escondiéndome aquí, en tu casa. —Sus manos se mueven hacia mi nuca, entrelazando los mechones entre sus dedos—. Quiero recuperar mi vida. Quiero volver a ser yo.

Su última frase apenas se escucha. Levanto la mano y le quito las lágrimas de las mejillas con mi pulgar.

—De acuerdo.

Ella asiente y sus ojos se posan en mis labios. Sus manos siguen acariciando mi cabello. Mientras la observo, respira profundamente y se inclina hacia delante. Va a besarme. Dios, llevo días pensando en besarla, odiándome por tener esa idea en la cabeza. Es demasiado joven y le han hecho mucho daño. Dejar que me bese no sería mejor que intentar algo con una chica traumatizada.

—Asya —susurro—. Por favor, no, nena.

Mi cuerpo se pone rígido al escuchar las palabras de *Pasha.* Levanto la vista y veo que sus ojos me miran con preocupación. Solamente un par de centímetros separan mi boca de la suya. Si me apresuro, quizá pueda robarle un beso rápido, aunque él no lo quiera.

Sin embargo, tan rápido como ese pensamiento entra en mi mente, otro le sigue. No, sé lo que es que te quiten algo contra tu voluntad. No puedo hacérselo a él.

—¿Por qué no? —pregunto—. No quieres a una basura, ¿ese es el problema?

Los ojos de *Pasha* se abren de par en par y en el instante siguiente su mano se dispara hacia arriba, agarrándome la barbilla.

—No vuelvas a decir eso —demanda entre dientes—. Jamás.

—¿Entonces por qué, *Pasha*? ¿Es malo que quiera besarte? —Me inclino hacia su mano, con la intención de acortar la distancia entre nosotros, pero él no me lo permite.

No dice nada, simplemente me mira fijamente, con la nariz dilatada. Me pregunto si es consciente de que, mientras me aparta de él con la mano izquierda, la derecha sigue acariciándome la mejilla. Suspiro y me enderezo, soltando su cabello.

El teléfono en su bolsillo suena. Lo toma y se lo acerca a la oreja, escuchando lo que dice la persona que está al otro lado. Puedo escuchar la débil voz del auricular. Es masculina y suena agitada, pero no entiendo lo que dice porque habla en ruso.

—Voy para allá —responde *Pasha* en español, y luego baja el teléfono.

—¿Tienes que ir a trabajar?

—Sí. Me encargo de los asuntos de los clubes de la *Bratva*. Volveré en un par de horas —informa—. ¿Estarás bien?

No quiero que se vaya, pero asiento con la cabeza de todas formas.

—Ordené los alimentos del supermercado, los dejarán en la puerta principal. Si estás cansada de cocinar, pediré algo para ti del restaurante de enfrente. —Me roza la barbilla con la punta del dedo—. Pero si quieres preparar algo para cenar y no puedes decidir qué, hay una *laptop* en la mesita de noche de la habitación. Busca en Google recetas rápidas y elige la primera que sepas hacer. ¿Está bien?

Vuelvo a asentir. No me suelta la barbilla. En su lugar, sus dedos recorren mi mandíbula hasta la nuca, donde los entierra en mi cabello.

—Vacié la cómoda de la habitación, puedes poner tu ropa nueva allí.

Así que se dio cuenta de que me sobresalté al ver los trajes en su armario.

—¿De verdad tienes que irte?

—No tardaré. —Echa un vistazo al reloj de la pared—. Tengo que repasar unos papeles con Kostya antes de que el club abra a las diez. Volveré a las diez y media.

—¿Puedes bajar el reloj?

Pasha me mira, y puedo ver la pregunta en sus ojos.

—Soy miope —suelto.

Su mano en mi nuca se mueve hacia mi barbilla y me levanta la cabeza.

—¿Por qué no me lo dijiste? —Me encojo de hombros—. ¿Usas anteojos o lentes de contacto?

—Anteojos. Los lentes de contacto me irritan los ojos.

Su otra mano me acaricia la cara y desliza la palma hacia arriba, pasándome los pulgares por las cejas y luego por la piel sensible debajo de mis ojos.

—Te compraremos unos anteojos mañana, cuando vayamos al centro comercial. —Me suelta la cara y se quita el reloj—. ¿Te sirve? —pregunta.

Miro el costoso reloj de oro que me puso en la mano. Todavía está caliente por el contacto con su piel.

—Sí —expreso ahogadamente.

—De acuerdo —asiente—. Date una ducha. Tienes tres pares de pijamas, todas son iguales para que no tengas que elegir. Guarda tu ropa nueva. Come. Espérame. En la cama, no en el suelo frente a la puerta.

Me bajo de su regazo y observo cómo se marcha, luego me dirijo al baño para darme una ducha.

Agarro el reloj con la mano. Las once y media. Llevo dos horas y media sentada en la cama, mirando esta cosa, y con cada minuto que pasa, el pánico en la boca de mi estómago se intensifica.

Hice todo lo que *Pasha* me ordenó que hiciera en una hora, incluyendo preparar *risotto* con pollo. Fue la primera receta que apareció en mi búsqueda en Google. Hacer la comida solía ser mi labor en casa. Me gusta bastante cocinar, así que puedo preparar casi cualquier cosa excepto mariscos. La sensación resbaladiza de tenerlos en mis manos siempre me daba escalofríos, así que Arturo se encargaba de eso. Mi hermano es un excelente cocinero y fue él quien me enseñó todo. También intentó convencer a Sienna para que aprendiera, pero mi hermana quemaba todo. Supongo que no podía cocinar y, al mismo tiempo, publicar docenas de fotos en las redes sociales.

Vuelvo a mirar el reloj. Faltan veinte minutos para la medianoche. ¿Dónde estará?

Capítulo nueve

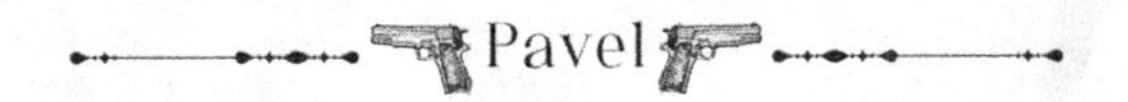

Tres horas antes

Todo el mundo está mirando. Los dos guardias de seguridad de la entrada trasera del club. La señora de la limpieza que trapea alrededor de las mesas. El cantinero. Los ignoro y subo las estrechas escaleras que conducen a la galería que alberga nuestros espacios administrativos con vistas a la pista de baile.

Paso frente a la sala donde dos guardias de seguridad están encorvados frente a las pantallas, mirando las imágenes de las cámaras, y entro a mi oficina. Kostya está sentado detrás de mi escritorio, mirando el monitor y presionando el *mouse* con irritación. Toda la superficie está cubierta de papeles. A un lado, hay dos tazas de café vacías y un sándwich comido a medias con migajas esparcidas por todas partes.

—Qué asqueroso. —Sacudo la cabeza.

—Elegiste el peor jodido momento para tomarte vacaciones —murmura y sigue golpeando el *mouse*—. Hay que renovar los contratos con los proveedores de licores. Dos meseras están enfermas y otra se tomará licencia por maternidad. El sistema de vigilancia se cayó dos veces ayer. Se me olvidó pedir… —Levanta la vista y me examina de pies a cabeza—. ¿Quién demonios eres y qué hiciste con Pavel?

Señalo con la cabeza al desorden del escritorio.

—Limpia esta mierda para que pueda sentarme y ver qué más jodiste.

—¿*Jeans*? ¿En serio? ¿Y una puta sudadera con capucha? —Levanta las cejas y luego suelta una carcajada—. *Pasha,* cariño, ¿estás bien?

—Qué gracioso. Levántate.

—Yuri llamó —expone y recoge las tazas—. Encontraron al tipo que suministraba esas pastillas. Lo traerá aquí.

—Bien. —Me siento y ordeno los contratos esparcidos por el escritorio. Algunos tienen manchas marrones circulares—. Espéralos abajo y lleva al tipo a la habitación de atrás cuando lleguen.

—De acuerdo. ¿Seguro que no quieres que llame al Doc para que te revise la cabeza?

—¡Vete a la mierda, Kostya!

Casi termino con el desastre que hizo Kostya cuando estalla un tiroteo en el piso de abajo. Agarro mi arma del cajón y entro corriendo a la sala de vigilancia.

—¿Qué está pasando? —exclamo.

—Yuri y dos soldados entraron hace dos minutos, arrastrando a un tipo con ellos. Esos vehículos llegaron después — indica el guardia de seguridad y señala la pantalla que muestra el callejón trasero. Dos coches con los cristales polarizados están estacionados a la vuelta de la esquina—. Ocho personas salieron, mataron a los guardias y entraron al club.

—Llama a Dimitri. Dile que necesitamos refuerzos y a

Doc, Luego, ve abajo. ¡Ahora! —Corro hacia la puerta mientras los disparos siguen sonando abajo.

La pista de baile está cubierta de sangre. Tres agresores están tirados en el centro, y a medio metro, el cuerpo de un mesero está tendido con la cara hacia el suelo. Al otro lado de la habitación, hay dos cuerpos más, probablemente los soldados que llegaron con Yuri. Kostya está agachado detrás del bar, disparando a dos hombres cerca de la entrada. Apunto al primero y le disparo en la cabeza. El otro voltea hacia mí, pero cae cuando la bala de Kostya impacta en su cuello.

—¿El resto? —grito mientras corro escaleras abajo.

—Se fueron por la parte trasera. —Kostya salta por encima del bar y corre hacia el pasillo que lleva al almacén—. ¡Yuri está solo ahí adentro!

No escucho ningún disparo mientras corro detrás de Kostya. Eso no es bueno. Gira a la izquierda y yo lo sigo unos pasos atrás. Irrumpimos en la habitación trasera al mismo tiempo, con las armas en alto.

Uno de los matones está tumbado en el suelo, cerca del armario metálico donde se guardan los productos de limpieza. A la derecha, hay dos hombres más. Uno obviamente está muerto, con un agujero en la frente. Hay una gran salpicadura roja en la pared sobre él. El que está a su lado sigue vivo, pero le dispararon en el muslo y el hombro. Camino hacia él y recojo su arma y la de su camarada. Otro hombre con pantalones cargo y camisa a cuadros está tirado en medio del suelo, tiene varias heridas de bala en la espalda. Sus manos están atadas. Probablemente sea el tipo que suministró las drogas.

—¡Yuri! —llama Kostya detrás de mí. Me doy la vuelta y siento un escalofrío.

Yuri está sentado en el suelo con la espalda apoyada contra la pared. Tiene todo el torso cubierto de sangre. Corro a arrodillarme junto a Kostya, que se arranca la camisa y la presiona sobre la herida de su estómago. Yo también me quito la sudadera, la enrollo y la aprieto contra la otra herida en medio del pecho de Yuri. La camisa blanca de Kostya sobre el estómago ya está empapada, y la sangre se filtra por sus dedos.

—¿Dónde diablos está el Doc? —ladro y agarro a Yuri por la nuca—. ¡Yuri! ¡Abre los ojos!

Sus ojos se abren lentamente, mas su mirada está perdida.

—¡Quédate con nosotros! ¡Yuri! ¡Ya viene el Doc! —grito. Intenta decirme algo, pero está demasiado débil—. No. —Le aprieto el cuello—. Hablaremos cuando el Doc te cure.

A mi lado, Kostya saca su teléfono y marca. Santo Dios, hay mucha sangre. Paso con cuidado mis manos por el pecho y los costados de Yuri y encuentro otra herida encima de su cadera.

—Maldición. —Me quito frenéticamente la camiseta, presionándola sobre la herida—. Yuri, no. No cierres los ojos. Quédate con nosotros.

Respira entrecortadamente y levanta la mano para agarrarme del brazo, jalándome hacia él.

—Albaneses —musita junto a mi oreja, luego tose—. Los escuché... hablando entre ellos.

Se afloja el agarre en mi brazo y la mano de Yuri cae al suelo. Sus ojos azul oscuro siguen fijos en mí, pero parecen vidriosos. Dos hileras de sangre caen por la comisura de sus labios.

—¡Yuri! —exclamo en su cara—. ¡No te atrevas a morirte! ¡Yuri!

—*Pasha* —pronuncia Kostya—. Está muerto.

¡No! Yuri es el responsable de darme la única familia que he conocido: la *Bratva*. No puede morir.

—¡Yuri! —Lo sacudo.

—Pavel, detente —pide una voz áspera detrás de mí, y alzo la vista para encontrar al Doc allí parado.

—¡Llegas tarde! —le grito.

—No hay nada que nadie pudiera haber hecho —agrega Doc, señalando al suelo con la cabeza—. Perdió demasiada sangre.

Acuesto lentamente a Yuri, me levanto y me dirijo hacia el extremo opuesto de la habitación. Agarro al único albanés vivo por el cuello y le doy un puñetazo en la cara con todas mis fuerzas.

—¿Por qué? —pregunto, y vuelvo a golpearlo—. ¿Por qué estabas aquí?

—Para deshacerme… de Davis —murmura.

Vuelvo a golpearle la cabeza. Y otra vez más.

—¡*Pasha*! ¡Ya basta!

Ignoro los gritos de Kostya y sigo golpeando al hijo de puta mientras el olor a sangre invade mi nariz. Alguien intenta apartarme de un empujón, no obstante, me los quito de encima y sigo clavando mis puños en la cara del albanés hasta que todo lo que queda de ella es una masa de sangre y carne roja.

Cuando acabo, dejo que el cuerpo caiga al suelo y me dirijo hacia uno de los armarios. Saco dos manteles de lino blanco y los llevo hasta donde el Doc está arrodillado junto al cuerpo de Yuri. Utilizo uno para limpiar la sangre de la cara de mi amigo, luego cierro sus ojos y lo cubro cuidadosamente con el lino limpio.

—*Proshchay, bratan* —musito, me doy la vuelta y me dirijo hacia la puerta, pasando junto a Kostya en el camino.

—¡Joder! —murmura él, mirando el cuerpo del hombre al que maté con mis propias manos—. Voy a vomitar.

Cuando vuelvo a mi oficina, agarro una botella de vodka del minibar y le doy un buen trago. Sabe aún peor de lo que recordaba. Me siento en el sillón junto al minibar y le doy otro trago. No recuerdo la última vez que me emborraché.

Alguien grita abajo. Parece que Roman llegó. Levanto la botella y vuelvo a beber. Cinco minutos después, más ruido, algo se rompe. Parece que alguien está tirando muebles. Más gritos.

—¡Dimitri! —ruge Roman—. Llama a Angelina por teléfono. ¡Ahora, joder!

Parece que Sergei también está aquí. Me levanto, con la botella en la mano, y me dirijo hacia la pared de cristal para contemplar la escena. Sergei está parado en el centro de la pista de baile, agarrando con la mano un banco roto del bar. Roman está frente a él, con su mano extendida hacia su hermano, y le dice algo a Sergei, que parece que va a romperle el banco en la cabeza a Roman en cualquier momento. Dimitri se acerca a ellos desde un lado, con un teléfono en su mano extendida. Sergei gira la cabeza hacia el teléfono y fija la mirada en el aparato. El banco cae al suelo. Sergei le quita el teléfono de la mano a Dimitri, se lo acerca al oído y escucha durante unos instantes. Le devuelve el teléfono a Dimitri y se marcha.

Debería quedarme a ver si necesitan mi ayuda, pero no puedo soportar la idea. Yuri está muerto. La mirada que me dio durante los últimos segundos de su vida me perseguirá por el resto de mi vida. Sacudo la cabeza y me dirijo hacia la escalera de incendios.

Encuentro a Kostya apoyado en la pared, cerca de la salida trasera. Me mira y luego mira la botella que tengo en la mano.

—¿Desde cuándo bebes alcohol? —pregunta.

—Desde hoy. —Inclino la cabeza hacia su auto—. Necesito que me lleves.

No hablamos durante la media hora que dura el trayecto hasta mi casa, con nuestras miradas fijas en la calle que tenemos ante nosotros. Ha empezado a nevar otra vez, y me encuentro absorto en los copos blancos que caen del cielo. Supongo que ahora a mí tampoco me gusta la nieve.

Cierro los ojos, me reclino en el asiento y bebo otro buen trago de la botella.

Asya

La puerta principal se abre de golpe y exhalo aliviada. Regresó. Un momento después, algo cae al suelo.

—¿*Pasha*? —grito.

Hay un par de segundos de silencio antes de escuchar su voz.

—Soy yo, *Mishka*. —Su voz suena extraña. Como ahogada.

Espero que entre a la habitación, pero no lo hace. Me quedo mirando la puerta abierta. Entonces, escucho el ruido de un cristal que se rompe y un ruido sordo.

—¿*Pasha*?

Nada. Me tenso. Algo pasó. Me quito las sábanas, con la intención de ir a buscarlo, sin embargo, no puedo moverme.

Dijo que lo esperara en la cama. ¿Debería quedarme aquí? ¿O ir a ver qué pasó? No puedo decidirme.

—¿*Pasha*? —llamo de nuevo. No responde.

Mis manos empiezan a temblar. Algo malo sucedió. Lo sé porque esto no es típico de él. Me acerco al borde de la cama y los temblores de mis manos se intensifican mientras las náuseas me suben por la garganta. La sola idea de abandonar la cama me provoca ganas de llorar. Agarro un puñado de las sábanas con los dedos, aprieto e intento tragarme la bilis. Finalmente, atravieso la habitación a una velocidad frenética golpeándome el codo contra el marco de la puerta. Calculé mal la distancia. Ignorando el dolor, entro apresurada a la sala de estar.

—¿*Pasha*?

La lámpara de la esquina está encendida, iluminando la habitación con un tenue resplandor crepuscular. La puerta principal está abierta de par en par. La estrecha mesa cerca de la puerta donde *Pasha* deja sus llaves está volcada en el suelo. Él no está en ningún lado.

Me dirijo hacia la consola volcada y noto algo húmedo y pegajoso en el suelo bajo mis pies descalzos. Sé que el interruptor de la luz está cerca, así que empiezo a tantear la pared con la palma de mi mano. Mi vista empeora cuando no hay suficiente luz. Tanto el interruptor como la pared son blancos, lo que dificulta su localización. Cuando lo encuentro, enciendo las luces y miro a mi alrededor.

Pasha está sentado en el suelo de la cocina, con la espalda apoyada contra la puerta del horno. Tiene los ojos cerrados. Hay trozos de cristal por todas partes y el aire huele a alcohol.

—¿*Pasha*?

Abre los ojos y ladea la cabeza, mirándome.

—Siento llegar tarde.

Con cuidado de no pisar los vidrios, cruzo la cocina y me agacho entre sus piernas. No parece él mismo. Tiene el cabello despeinado y únicamente viste *jeans*. Tiene el pecho desnudo salpicado de lo que parece ser sangre seca. Y estoy bastante segura de que está borracho. Estiro mis manos y tomo su cara entre ellas.

—¿Qué pasó? —pregunto.

Cierra los ojos y se inclina hacia delante hasta que su frente toca la mía.

—Alguien murió, *Mishka* —susurra.

Muevo mis manos a través de su cabello rubio oscuro. Uno de los mechones sigue cayendo hacia delante, sobre su ojo.

—¿Quién? —Intento apartar ese mechón, pero acaba de nuevo sobre su cara.

—Yuri. Uno de los ejecutores de la *Bratva*. Un amigo.

—¿Qué pasó?

—Hace tres semanas, atrapamos a un tipo traficando con drogas, píldoras, en nuestro club. Era la misma sustancia que se usó contigo. Yuri encontró al hombre que suministraba las pastillas y lo trajo al club para interrogarlo.

—¿Obtuvieron algunas respuestas?

—No. Un grupo de hombres los siguió y entró disparando. Mataron a cinco de nuestros hombres y luego fueron a la parte de atrás, donde estaba Yuri con el prisionero. —Sacude la cabeza—. Los mataron a ambos.

—Lo siento mucho —susurro y me inclino hacia delante, depositando un beso en el centro de su frente—. Lo siento muchísimo.

Entonces me mira, nuestros ojos están tan cerca, y

cuando observo fijamente los suyos, el corazón me da un vuelco. Siento como si una mariposa estuviera atrapada en mi pecho. Quiero besarlo o consolarlo como pueda. Como él lo hizo conmigo. Sin embargo, no sé si lo aceptará. Así que, en vez de eso, le rozo la mejilla con el dorso de mis dedos.

—Vamos a la cama, *Pasha*.

Respira profundamente y se levanta lentamente, llevándome con él. Cuando ambos estamos de pie, mira el suelo de la cocina cubierto de trozos de vidrio.

—Mierda. Por favor, dime que no te cortaste.

—Estoy bien. Vamos.

La mirada de *Pasha* cae sobre mis pies descalzos.

—Pisa encima de mis pies.

—¿Por qué?

—No creo que sea prudente cargarte mientras estoy en este estado, *Mishka*.

Estoy a punto de decir que puedo volver por mi cuenta, pero cambio de opinión. Rodeando la cintura de *Pasha* con mis brazos, coloco mi pie derecho sobre su zapato, luego el izquierdo. Su mano izquierda se desliza hasta mi espalda, apretándome más contra su cuerpo.

—Iremos despacio —asegura—. Agárrate fuerte.

—Está bien —musito y aprieto mi mejilla contra su pecho. Probablemente acabaré con sangre en mi cara, pero no me importa.

Pasha se agarra del costado del mostrador con la mano que tiene libre y da un paso adelante. Luego uno más. Me mantengo pegada a su cuerpo mientras atraviesa la cocina. Los pedazos de vidrio se rompen bajo las suelas de sus zapatos a cada paso. Cuando llegamos a la sala apoya la palma de su mano en la pared y me mira. No hay vidrios más que en la cocina, pero no quito mis pies de encima de los suyos. En lugar de eso, le aprieto más la cintura. Algo pasa entre nosotros, como un intercambio sin palabras. Él me dice en silencio que es seguro soltarlo, mas yo le respondo que no lo haré, aunque ya no haya necesidad de abrazarlo. Como si reconociera mi respuesta sin palabras, *Pasha* asiente y sigue acercándonos a la habitación.

Cuando llegamos a la cama, le suelto la cintura y me meto bajo las sábanas. Levanto una esquina del edredón y le doy unas palmaditas a la almohada que tengo junto a la cabeza. *Pasha* me observa durante unos instantes, luego se quita los zapatos y se mete bajo las sábanas a mi lado.

—Cuéntame de tu amigo —pido y me acurruco a su lado—. ¿Cómo era?

—Conocí a Yuri hace diez años. Asistió a una de mis peleas. Cuando terminó el combate, se acercó a mí y me preguntó si me gustaría enfocar mi energía y mis habilidades en otro lugar.

—¿Peleas? —indago.

La pausa en silencio dura casi un minuto.

—Antes de unirme a la *Bratva*, ganaba dinero peleando en combates clandestinos —confiesa por fin. No puedo verle la cara, pero tiene la voz entrecortada. ¿Le preocupa que piense mal de él por su forma de ganarse la vida?

Apoyo mi mano en el centro de su pecho y entierro la cara en su cuello.

—¿Yuri te reclutó para la *Bratva*?

—Sí. Estaba a cargo de los soldados. Tres años después, cuando mataron al tipo que dirigía los clubes, el *Pakhan* me ascendió al puesto, diciendo que mis trajes de tres piezas ponían nerviosos a los demás soldados. No obstante, Yuri siempre estaba cerca, molestándome para que saliera con los chicos. Decía que tenía que relajarme.

—¿Y lo hiciste? ¿Seguiste su consejo?

—*Nop*. En realidad no soy una persona sociable, *Mishka*.

Sí. Yo también tuve esa impresión. Subo la mano y le paso los dedos por el cabello de la nuca. Una melodía me viene a la mente. *The Rain Must Fall,* de Yanni. Lenta y triste. Tranquila. Tarareo la melodía mientras acaricio el cabello de *Pasha*.

—¿Por qué dejaste que me quedara aquí? —curioseo.

Pasha suspira y apoya su barbilla en la parte superior de mi cabeza.

—No lo sé. ¿Por qué quisiste quedarte?

Llevo semanas haciéndome esa interrogante.

—Yo tampoco lo sé.

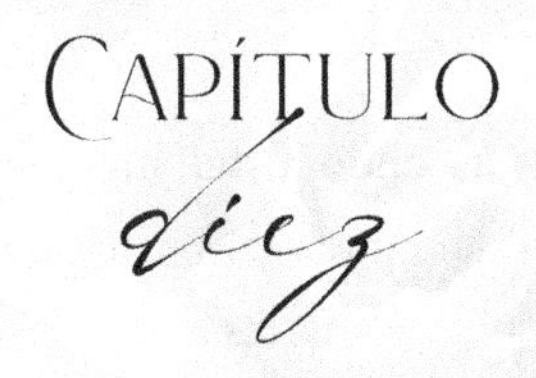

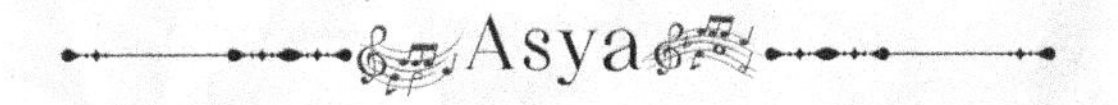

La puerta del ascensor se cierne ante mí y trato desesperadamente de controlar el pánico que se apodera de mi mente. Estoy fracasando miserablemente.

—No me sueltes la mano —susurro mientras la bilis me sube por la garganta.

—No lo haré —asegura *Pasha* a mi lado.

Se escucha un tintineo que indica que hemos llegado a la planta baja del centro comercial. Las puertas se abren. En cuanto veo que hay gente alrededor, doy un paso atrás. La mano de *Pasha* sale disparada hacia un lado, pulsando el botón para cerrar la puerta.

—Puedes hacerlo, *Mishka* —anima—. Pero si no estás lista, lo intentaremos la próxima semana.

No, no estoy lista. Creo que nunca lo estaré. No obstante, lo haré de todos modos. Y lo haré hoy.

—Abre la puerta, por favor. —Me atraganto con las palabras y aprieto la mano de *Pasha*.

El primer minuto es el peor. Es temprano, así que el

centro comercial no está abarrotado, pero aun así siento que me voy a asfixiar solo por estar aquí. Ver a la gente en un espacio tan cerrado, los sonidos que hacen, sus miradas... todo me parece demasiado. *Pasha* me aprieta la mano y da un paso adelante.

Alguien se está riendo. Están más lejos, al final del pasillo, aunque pareciera que están justo a mi lado. El sonido de pisadas en el suelo y charlas aleatorias resuenan en mis oídos. Cierro los ojos y contengo la respiración. Siento un ligero toque en la cara, la punta del dedo de *Pasha* recorriendo la línea de mi mandíbula. Respiro de nuevo y abro los ojos. Está de pie frente a mí, bloqueando la vista de la multitud con su gran cuerpo.

—No pasa nada, nena —asegura—. Nadie puede hacerte daño cuando estoy aquí. Solo mírame a los ojos.

Coloca su mano en mi nuca y da un paso atrás, arrastrándome con él. Sin dejar de mirarlo, doy un paso adelante. Sus labios se curvan hacia arriba. Da otro paso, y luego uno más. Lo sigo. Aún puedo escuchar a la gente, pero los sonidos ya no me molestan tanto porque toda mi atención se concentra en el hombre que tengo frente a mí.

No creo que alguien pueda decir que *Pasha* es hermoso. Las líneas de su rostro son demasiado toscas. Su ceja derecha está partida en dos por una fina cicatriz. Su nariz es demasiado grande y está ligeramente torcida. No parece un hombre al que querrías invitar a una cita, sino más bien alguien a quien querrías tener a tu lado cuando caminas por un callejón oscuro. Aunque, si alguien me preguntara cómo debería verse el hombre perfecto, señalaría al que tengo enfrente.

Dos pasos más. Igualo su ritmo. De reojo, veo que la gente

nos mira con cara de asombro. Varios pasos más y *Pasha* se detiene.

—Llegamos. —*Pasha* señala con la cabeza la tienda de su derecha. Echo un vistazo rápido a un lado. Es la óptica—. ¿Quieres entrar ahora o prefieres que volvamos más tarde? —inquiere.

—Ahora. —Asiento con la cabeza y doy otro paso hacia él, amoldando mi frente al suyo.

Su mano se desliza desde mi cuello hasta mi cabello y puedo sentir el calor de su cuerpo filtrándose en el mío. Quiero más, necesito más. Levanto la palma de mi mano y la coloco en el centro de su pecho. La gente pasa a nuestro lado, algunos refunfuñan porque estorbamos, sin embargo, ninguno de los dos nos movemos. *Pasha* inclina ligeramente la cabeza y yo contengo la respiración, preguntándome si me besará. Pero no lo hace. En lugar de eso, me suelta el cabello y se aleja un paso.

—Vamos a buscarte unos lentes —indica y se dirige al interior de la tienda.

Estoy junto a *Pasha,* que le da su dirección a la empleada de la tienda para que envíe mis gafas nuevas ya que estén listas, cuando un hombre entra a la tienda y se dirige al escaparate de los lentes de sol. Lleva un teléfono pegado a la oreja, hablando con alguien. Mis ojos recorren sus pantalones de vestir y su camisa blanca y se detienen en su corbata roja brillante. Debería apartar la mirada. Darme la vuelta y enfocarme en otra cosa. Sin embargo, no puedo. Es como si tuviera los ojos pegados a la tela roja que le rodea el cuello. La corbata que el cliente usó conmigo era roja. Me muerdo el labio inferior hasta que me duele y aprieto la mano de *Pasha*.

—¿*Mishka*? ¿Estás bien?

Cierro los ojos, intentando suprimir el recuerdo de mi cuerpo siendo presionado contra la cama mientras araño desesperadamente la corbata que me rodea el cuello. Mi respiración se vuelve más rápida. Más superficial. No puedo respirar lo suficiente. Siento que me ahogo.

—¿Asya? —*Pasha* me rodea la cintura con el brazo y se da la vuelta, siguiendo mi mirada. El tipo de la corbata sigue parado junto a la vitrina de lentes de sol, mirando los artículos.

—Espera aquí, nena —murmura *Pasha* junto a mi oído y, soltándome, camina hacia el hombre.

Pensé que le pediría al tipo que se fuera. En lugar de eso, *Pasha* agarra al hombre por detrás de la camisa y lo empuja hacia la puerta. El hombre se agita y grita. *Pasha* no le hace caso, le tuerce el brazo por detrás de la espalda y continúa empujándolo hacia la salida. La empleada de la tienda que está detrás de mí suelta un grito y agarra el teléfono, probablemente para llamar a seguridad. Aprieto las manos, odiándome por ser tan débil, luego respiro profundamente y salgo de la tienda hacia donde *Pasha* sigue agarrando al hombre por la camisa.

—*Pasha* —susurro y le rodeo el antebrazo con la mano—. Por favor.

Me mira, suelta al hombre y lo empuja. El hombre tropieza y se da la vuelta, gritando obscenidades hacia nosotros. *Pasha* da un paso hacia él, mas yo le agarro el brazo.

—Por favor, no —le pido—. Volvamos.

Mira al hombre de la corbata durante unos segundos más

antes de tomar mi mano entre las suyas y guiarnos por el pasillo hacia los ascensores.

Cuando pasamos por delante de un restaurante, mis ojos se posan en el pequeño objeto que hay sobre la plataforma elevada más allá de la entrada del establecimiento. Me detengo en seco, con los pies clavados en el suelo, y miro fijamente el instrumento.

Pavel

Echo un vistazo a lo que ha llamado la atención de Asya y mis ojos se posan en el piano que hay junto a la pared. Es una versión diminuta de un piano de cola de madera blanca. Tiene la tapa abierta y sobre el atril, encima de las teclas, hay algunas partituras. El banquillo que hay delante está desocupado.

Asya da un tímido paso hacia la plataforma y se detiene un segundo. Un segundo después se precipita hacia adelante, arrastrándome con ella. Cuando llega al piano, me suelta la mano y se sienta en el banco frente al instrumento. Permanece allí sentada durante al menos cinco minutos con los ojos pegados a las teclas. Yo permanezco cerca de ella, girado de forma que pueda vigilarla sin perder de vista el entorno, por si acaso a alguien se le ocurre la estúpida idea de acercarse y pedirle que se vaya. Uno de los camareros levanta la vista y da un paso hacia nosotros. Cruzo los brazos y volteo hacia él, retándolo con la mirada a que diga algo. El hombre me examina, y rápidamente vuelve a lo que estaba haciendo. Bien por él.

Una sola nota grave suena a mis espaldas. Le sigue otra. Unos segundos de silencio y luego comienza una melodía. Mi cuerpo se queda inmóvil mientras una combinación de tonos graves se desarrolla a mis espaldas a un ritmo lento. La melodía me parece conocida. Es una pieza clásica popular, aunque no recuerdo cuál. Quiero darme la vuelta y verla tocar, pero temo distraerla. En lugar de eso, permanezco en guardia, observando a la gente de las mesas que nos rodean. Todos han dejado lo que estaban haciendo, han abandonado sus alimentos y miran hacia Asya. La melodía termina, sin embargo, ella continúa con otra. Esta me la sé. Es *The Flight of the Bumblebee*. Increíblemente rápida. Incluso para un oído inexperto, está claro que no es una principiante.

No puedo luchar contra el impulso por más tiempo. La necesidad de verla tocar es demasiado fuerte, así que me doy la vuelta y la observo. Puede que solo vista unos simples *jeans* azules y una blusa azul marino, no obstante, siento como si estuviera en una maldita sala de conciertos, viendo a la pianista estelar dando un espectáculo. La forma en que sostiene su cuerpo, los movimientos de sus manos volando con elegancia sobre las teclas y la seguridad de su postura son impresionantes. Pero lo que más me sorprende es la expresión de su rostro. Alegría. Júbilo. Felicidad. Sonríe tanto que parece que todo su ser resplandece. No puedo moverme. Apenas puedo respirar. Contemplarla así es como si la estuviera viendo por primera vez. No hay nada en común entre esta gran artista y la chica asustada a la que dejé quedarse en mi casa, la que todavía me sigue por el departamento, agarrando el dobladillo de mi camisa con su mano.

La rabia me hierve por dentro al pensar que esta faceta de ella quedará sofocada. Voy a hacer que las personas que rompieron su espíritu paguen. *Con sangre.*

Asya termina la melodía y levanta la vista, su mirada encuentra la mía. Los aplausos estallan a nuestro alrededor. La gente grita, pide más. Ella ignora el ruido, se levanta lentamente y camina hacia mí sin romper el contacto visual.

—No me habías dicho que sabías tocar el piano. —Estiro la mano y le aparto unos mechones de la cara. Ella sigue de pie en la plataforma, lo que hace que estemos casi a la misma altura.

Asya solamente se encoge de hombros y da otro paso hacia delante, pegando su torso contra el mío. Nuestras caras apenas se separan unos centímetros.

—¿Qué pieza era? —inquiero—. La que tocaste primero.

—Beethoven. —Levanta la mano y traza la línea de mi mandíbula con la punta de su dedo—. Se llama *Moonlight Sonata.* Me recuerda a ti.

La luz que entra por la ventana a nuestra derecha hace brillar su cabello. Una pequeña sonrisa se dibuja en sus labios. Lucho contra el impulso de enterrar mis manos en su oscuro cabello y pegar mi boca contra la suya.

—Deberíamos irnos —declaro, pero no hago ademán de apartarme—. Es casi mediodía. Se llenará de gente.

La mano de Asya se desliza desde mi cara, rozando la manga de mi chaqueta hasta que sus dedos envuelven los míos. Su piel es tan suave comparada con la aspereza de mi mano.

—¿Podemos volver mañana? —pregunta mirándome a los ojos—. Echaba de menos tocar.

Como si pudiera decirle que no cuando me mira así.

—Claro, *Mishka.*

Una enorme sonrisa se dibuja en su rostro, haciéndome sentir como si me bañara en su calidez. Quiero más de esa sonrisa. Más de ella. Estiro el brazo y coloco mis manos en sus caderas—. ¿Quieres montarte?

Ladea su cabeza, observándome.

—Parece que acaba de llegar un grupo de hombres de negocios —miento, y luego hago un gesto con la cabeza hacia el lado izquierdo del pasillo—. Acaban de entrar en una de las tiendas.

La mano de Asya aprieta la mía y un momento después salta a mis brazos. Sus piernas me rodean la cintura y hunde su nariz en el pliegue de mi cuello. Ignoro las miradas de la gente que nos rodea, me doy la vuelta y me dirijo hacia los ascensores, sosteniendo a Asya con una mano bajo sus muslos y el otro brazo alrededor de su cintura, estrechándola contra mi cuerpo.

Capítulo once

Hay dos cartones de leche en la nevera. La normal y una que no tiene grasa. *Pasha* suele comprar únicamente la leche entera normal. Aprieto la manija de la nevera y observo fijamente los envases, colocados inocentemente en la repisa. Se están burlando de mí.

¡Es leche, demonios!

Una mano me acaricia la espalda.

—¿Algún problema con la leche?

—Sí —afirmo, mirando fijamente a las malditos envases—. ¿Había un especial de dos por uno en la tienda?

—*Nop.* Esta vez también compré la descremada, por si te gusta más que la otra. —*Pasha* se coloca detrás de mí y me toca el codo, después desliza su mano por mi antebrazo hasta que su palma presiona el dorso de mi mano. Lentamente, la lleva hacia el estante donde están los cartones de leche—. ¿Cuál quieres?

—No lo sé.

—Claro que sabes. —Mueve mi mano un poco más hasta

que mis dedos tocan la parte superior del primer envase—. Nunca me ha gustado la leche descremada. Sabe prácticamente a agua. ¿Y a ti?

—A mí tampoco me gusta la descremada —suelto sin pensarlo realmente.

—Ya está. No fue tan difícil. —Mueve mi mano hacia la otra opción de leche—. Nos quedamos con esta. Puedes prepararme un poco de cereal de avena a mí también.

Su mano se retira, dejando la mía suspendida sobre el envase. Lo agarro de la repisa y lo saco.

—La última vez que lo comimos, dijiste que sabía a cartón.

—Estoy dispuesto a probarlo otra vez.

Me doy la vuelta para verlo y disfruto mirándolo claramente a través de mis gafas nuevas, sin tener que entrecerrar los ojos para enfocar. La facilidad para captar cada línea del rostro de *Pasha* supera la satisfacción de poder ver todo lo demás a mi alrededor con sorprendente detalle.

Algunos mechones de su cabello mojado le caen sobre la frente. Intento apartarlos, pero siguen deslizándose sobre sus ojos.

—Necesitas un corte de cabello —expreso mientras lo intento una vez más.

Pasha ladea la cabeza, mirándome, y abre un cajón a su izquierda. Su mirada se queda clavada en la mía mientras hurga en la gaveta, saca unas tijeras y las coloca sobre el mostrador. Son enormes, con mangos de plástico blanco. Las uso para abrir paquetes de pasta y otras cosas.

—Son tijeras para papel —indico, mirándolas fijamente.

—Lo sé.

Quiere que le corte el cabello. Vuelvo a dirigir mi mirada hacia sus impresionantes ojos grises.

—Nunca le he cortado el cabello a nadie, *Pasha*. ¿Y si lo arruino? ¿No tienes un peluquero o un barbero que pueda cortártelo?

—Sí, tengo. Sin embargo, me gustaría que lo hicieras tú —declara y me roza la mejilla con el dorso de su mano—. ¿Lo harás?

El corazón me da un vuelco. Dejo la leche en el mostrador y tomo las tijeras. *Pasha* se da la vuelta y sale de la cocina. Dos minutos después vuelve cargando una silla en una mano y mi peine rosa en la otra. Coloca la silla en medio de la cocina y se sienta de espaldas a mí.

Camino hacia él con las piernas temblorosas mientras mi corazón se acelera al doble. Cuando estoy detrás de él, levanta la mano y me da el peine. Me muerdo el labio inferior, lo acepto y comienzo a pasarlo por los mechones rubios oscuros. No tiene el cabello muy largo, solamente tendría que recortarle la parte de arriba de la cabeza que le creció un poco. No obstante, en lugar de empezar a cortar, sigo peinándole el cabello. *Pasha* no mueve ni un músculo, pero escucho su respiración fuerte cuando utilizo la otra mano y paso mis dedos entre sus mechones. Levanto algunos de los cabellos más largos, corto medio centímetro y sigo pasando mis dedos.

—Tengo que salir por un par de horas —informa con voz entrecortada e inclina ligeramente su cabeza hacia atrás, más cerca de mi contacto—. Por el funeral de Yuri.

—Está bien. —Asiento con la cabeza y corto de nuevo.

—Tendré que ponerme un traje. Me cambiaré en la otra habitación. Puedes quedarte en mi cuarto hasta que me vaya.

Inclino ligeramente la cabeza e inhalo su aroma antes de pasar mi mano al siguiente mechón de cabello.

—¿Eran cercanos? ¿Tú y tu amigo?

No responde inmediatamente. Cuando miro su cara, veo que tiene los ojos cerrados y sus labios están apretados en una línea delgada.

—En cierta forma —dice finalmente.

Termino de cortar y dejo las tijeras y el peine sobre el mostrador. *Pasha* sigue sentado con los ojos cerrados. Me inclino hacia delante, apoyo mi barbilla en su hombro y rozo su mejilla con la mía.

—Siento mucho que hayas perdido a tu amigo.

Su mano sube y me acaricia la mejilla.

—Todos se van, *Mishka*. De una forma u otra —pronuncia, acariciando un lado de mi cara con su pulgar—. Solo es cuestión de tiempo.

Lo observo mientras se levanta y sale de la cocina, llevándose la silla con él. Había un tono muy extraño en su voz cuando dijo esa última frase. Como si no solo se refiriera a su amigo que murió.

Capítulo doce

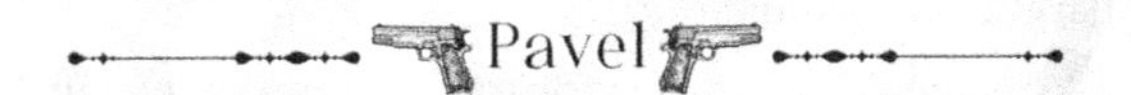
Pavel

Odio los funerales.

Supongo que todo el mundo los odia, pero a mí me perturban a un nivel profundo. Las expresiones en los rostros de la gente. La tristeza. El llanto.

Cuando comienzan a bajar el ataúd de Yuri y su hermana se derrumba, cayendo de rodillas sobre el suelo cubierto de lodo, no puedo soportarlo más. Me doy la vuelta y me dirijo hacia el estacionamiento mientras a mis espaldas resuenan llantos y gritos de dolor. Incluso cuando estoy en mi auto, conduciendo de regreso a casa, todavía puedo escucharlos en los rincones de mi mente. El hecho de que todavía no tengamos pruebas claras de quién está detrás del ataque hace que sea aún más difícil de procesar.

Al tocar el timbre en mi afán por escuchar a Asya acercarse para abrir la puerta del departamento, me doy cuenta de que aún estoy usando el traje. Tengo un abrigo negro puesto sobre él, pero aún así puede molestar a Asya. Planeé llevarme un cambio de ropa, pero se me olvidó. Si hace unos meses alguien me hubiera dicho que me preocuparía no tener a la mano unos *jeans* y una camiseta, me habría reído en su cara. Desde la llegada de Asya, mi aversión a los *jeans* desapareció por completo. Sé que es porque vestir ropa informal en lugar de trajes la ayuda, así que ya no me molesta la idea de unos Levi's desgarrados.

Retiro la mano, me quito el abrigo y me desabrocho la chaqueta del traje. Hasta que no me quito la chaqueta, el chaleco y la camisa, vuelvo a tocar el timbre. Una fracción de segundo después, pienso que lo mejor hubiera sido usar mi llave. Demasiado tarde.

Asya quita el seguro de la puerta y la abre completamente. Sus ojos se abren de par en par cuando su mirada recorre mi pecho desnudo y se detiene en la mano que sujeta la ropa amontonada. Lentamente, estira su mano para tomar la mía y me guía hacia el interior.

—Te morirás de frío —musita mientras camina hacia la sala a la par que yo la sigo.

Cuando llegamos al sofá, me empuja ligeramente para que me siente y desaparece de mi vista. Tiro el bulto de ropa al otro extremo del mueble y miro fijamente y sin propósito la pantalla en blanco de la televisión. Aún no puedo quitarme de la cabeza la imagen de la hermana de Yuri hundiéndose de rodillas en el lodo.

Un ligero toque en mi hombro me saca de mi estupor al tiempo que Asya se para frente a mí. Sostiene una camiseta y una sudadera gris con capucha en su mano. No dejo mi ropa tirada por ahí. Ella tendría que haber entrado a mi vestidor para traérmelas. Donde están mis trajes. Tomo la camiseta y me la pongo. Una vez que me pongo la sudadera, Asya se sube a mi regazo y me rodea el cuello con los brazos.

—¿Fue malo? —pregunta junto a mi oreja.

Le pongo la mano en la nuca, enredando mis dedos en su cabello, e inhalo.

—Sí.

—¿Averiguaste algo más sobre quiénes fueron los que atacaron?

—No. Justo antes de morir, Yuri dijo que eran albaneses, pero no tenemos más información. El tipo que suministró las drogas está muerto. Sin otras pistas, no podemos hacer ninguna conexión.

Me agarra con más fuerza. Noto cómo se eleva su pecho mientras respira profundamente y luego comienza a susurrar.

Asya

—El tipo que me secuestró no era albanés. Al menos, no creo que lo fuera —suelto. Me tiembla la voz.

—*Mishka,* no lo hagas. —*Pasha* pone su mano en mi mejilla—. No tienes que hablar de ello si no quieres.

—Estaba en un bar con mi hermana —continúo—: Usamos identificaciones falsas para entrar. Lo único que queríamos era ir a bailar. Un tipo se nos acercó. Era guapo. Carismático. Nos hizo reír a las dos. No tenía acento; me habría acordado si lo tuviera. Sienna decidió irse a casa temprano, tenía clase de pilates a la mañana siguiente. Yo me quedé.

—¿No tenían guardaespaldas con ustedes?

—No. Nos escabullimos de la casa y tomamos un taxi para ir al bar. Arturo siempre se ponía furioso cuando hacíamos eso.

Su dedo baja hasta recorrer mi barbilla.

—Me pareció simpático. Ese tipo —añado—. Dijo que se llamaba Robert. Hablamos durante una hora y, cuando le informe que tenía que irme a casa, se ofreció a acompañarme a tomar un taxi. Me pareció muy caballeroso. —Casi me hace reír lo estúpida que fui—. Me puso algo en la cara. Un trapo mojado que olía muy fuerte. Intenté escapar, luchar contra él. Era más grande que yo. Más fuerte. Perdí el conocimiento poco después. —Me tiembla la voz. Cierro los ojos, dispuesta a seguir—. Desperté en la oscuridad. Estaba tumbada en el suelo frío y él estaba arrodillado sobre mí, desgarrándome el vestido. Grité e intenté luchar contra él, pero mi mente seguía confusa. Entonces lo sentí… a él… entre mis piernas. —Aprieto los brazos alrededor del cuello de *Pasha* y entierro mi cara en él. Su cuerpo está completamente inmóvil, excepto su pecho, que se mueve debido a su respiración acelerada y superficial—. Me dolió. Muchísimo. Era mi primera vez.

Siento que sus brazos me rodean la espalda y me aprietan contra su cuerpo. Me da asco hablar de esto, sin embargo, ahora que he empezado, no puedo parar. Como si anhelara salir de mí.

—Me congelé. No podía mover los brazos ni las piernas; fue como si de repente me quedara paralizada. —La sensación de impotencia absoluta, el horror que sentí en ese momento… Creo que nunca podré olvidarlo—. Después… conseguí zafarme de él y corrí hacia la calle. Corrí tan rápido como pude. Pero igual me atrapó. Y luego me drogó —narro—. Me desperté sola en una habitación extraña. Estaba muy, muy asustada. —Los brazos que rodean mi cuerpo me aprietan y siento la palma de su mano acariciando mi espalda, al igual que aquella primera noche—. Había una mujer. Dolly. Fue la que nos dio las pastillas a mí y a las otras chicas. Y seguía trayéndolas dos veces al día. También era la que instruía a las chicas y organizaba las citas con... clientes. —Inclino la cabeza hacia arriba hasta que mis labios se acercan a su oído y susurro—: No me resistí. Dejé que me drogaran y que hicieran lo que quisieran conmigo. ¿Qué clase de persona tan miserable y repugnante hay que ser para permitir eso?

La mano de *Pasha* se acerca a mi nuca y me inclina la cabeza hasta que nuestras miradas se encuentran.

—Una mujer joven e inocente que sufrió abusos tan violentos que su mente se desconectó en un intento de protegerse. Pero luchaste. Escapaste. Sobreviviste. No fue otra persona quien te salvó. Tú misma lo hiciste.

—Eso no me hace sentir menos repugnante.

—No digas eso, nena. —Se inclina hacia delante y me da un beso en la frente—. Encontraré a la gente que te hizo daño. Y gritarán pidiendo clemencia mientras los destrozo como intentaron destrozarte a ti. Sus muertes no serán rápidas.

Mis pensamientos se retuercen mientras asimilo sus palabras. ¿Los quiero muertos? Imagino a Robert suplicando por su vida. Me sube la bilis al estómago. Pero ¿no supliqué yo también? ¿Y qué hay de las otras chicas? Ahora, mientras imagino los gritos de Robert pidiendo clemencia, una pequeña sonrisa se dibuja en mis labios.

—¿Puedo mirar? —Curioseo con vacilación, a la vez temiendo y deseando la idea.

—Cada momento, *Mishka*.

Apoyo mi cabeza en el pecho de *Pasha* y lo abrazo. La incertidumbre y la cautela me consumen.

—Tengo miedo —susurro—. Tengo miedo de que vuelva a ocurrir. No sé si alguna vez podré salir a la calle y caminar sola sin estremecerme cada vez que alguien pase cerca de mí.

—Lo harás. —Vuelve a acariciarme el cabello—. Te lo prometo.

—Espero que me dejen tocar de nuevo —comento mientras camino junto a *Pasha* hacia el coche.

Mi ansiedad se dispara cada vez que pienso en volver al centro comercial y estar entre toda esa gente, el ruido y rodeada de todos esos olores. Los recuerdos me hacían estremecer. Aunque también recuerdo la sensación de libertad absoluta que me invadió cuando coloqué mis dedos sobre las teclas después de tanto tiempo sin música. Toda la emoción, la alegría y la felicidad que creía que nunca volvería a sentir regresaron de golpe. Logré reprimir la necesidad de volver a tocar durante los últimos cinco días, pero ahora lo anhelo.

Finalmente cedí esta mañana y le pedí a *Pasha* que me llevara.

—¿Cuándo comenzaste a tocar? —pregunta mientras enciende el motor.

—A los cinco años. Arturo buscaba una forma de distraernos a mí y a mi hermana de lo que les había pasado a nuestros padres, así que le pidió a un vecino, que tenía un piano, que nos diera lecciones. —Me cuesta pensar en mi hermano y mi hermana, sabiendo lo preocupados que deben de estar, no obstante, la idea de verlos todavía me deja con un pánico que me hiela los huesos.

—¿Qué pasó con tus padres? —cuestiona.

—Hubo una redada en uno de los casinos donde trabajaban. Alguien sacó un arma y le disparó a la policía. Entonces, todo se fue al infierno. Esa noche murió mucha gente.

—¿Ambos murieron?

—Sí. —Cierro mis ojos y me relajo en el asiento—. Ni siquiera puedo recordarlos bien. Claro que hay fotos, así que sé cómo eran. Pero no puedo recordar detalles sobre ellos, y si lo hago, son confusos. Recuerdo que mi mamá nos cantaba todas las noches antes de acostarnos, aunque no recuerdo la canción.

Pasha me roza la mejilla con el dorso de su mano y yo me inclino hacia él. Su leve caricia está ahí un momento y desaparece al siguiente. Cuando abro los ojos, está poniendo el vehículo en marcha.

—Sé a lo que te refieres —expresa mientras retrocede para salir del estacionamiento—. Yo tampoco recuerdo a mis padres.

—¿También murieron?

—Puede que sí. Puede que no.

Observo su perfil rígido, preguntándome si me dará más detalles. No lo hace, se limita a seguir conduciendo en silencio. Miro la mano que sujeta la palanca de cambios y veo que la agarra con fuerza. Le acaricio los nudillos blancos con la punta de mis dedos hasta que noto que se afloja.

—¿Tocabas de forma profesional? —inquiere al cabo de un rato.

—No, en realidad no. Toqué en la escuela un par de veces, normalmente cuando celebrábamos algo. La música siempre ha sido algo personal para mí. Decidí tomarme un año sabático después de la preparatoria para decidir qué quería hacer después. Pensé en matricularme en un conservatorio de música, pero eso fue… antes.

—¿Aún quieres hacerlo?

Miro la carretera más allá del parabrisas.

—No lo sé.

Suena el ascensor. Aprieto la mano de *Pasha* e intento controlar mi respiración. Las ganas de pedirle que regresemos chocan con la necesidad de volver a sentir las teclas bajo mis dedos. Las puertas se abren. *Pasha* sale, voltea hacia mí y toma mis dos manos entre la suya.

—Respira. Iremos despacio —asegura y da un pequeño paso hacia atrás—. Yo estoy aquí. Nadie se atreverá a tocarte, *Mishka*.

Asiento con la cabeza y salgo del ascensor.

Hay más gente alrededor que la vez anterior. Una multitud de imágenes y sonidos abruman mis sentidos: luces, risas, pasos, niños corriendo mientras sus padres intentan frenéticamente acorralarlos. Cierro los ojos.

La mano áspera de *Pasha* me acaricia la mejilla y su brazo grueso me rodea la cintura.

—No pasa nada, nena.

Abro los ojos y respiro profundamente. Engancho mis

dedos en las presillas de sus *jeans* y lo miro. Tiene la cabeza inclinada, a escasos centímetros de la mía.

—Te gusta la música —señala—. Hagamos que esto sea un baile. Casi como un vals, ¿sí?

No puedo evitar sonreír un poco.

—La gente se reirá de nosotros, *Pasha*.

—Me importa un carajo.

Da un paso hacia atrás y yo lo sigo. Luego otro. Y otro más. Sí, parece un baile extraño, él abrazándome y caminando hacia atrás, y de pronto, me dan ganas de reír. Y lo hago. La gente a nuestro alrededor debe pensar que estamos locos, pero no me importa. Mantengo mi mirada clavada en la de *Pasha* mientras lo sigo, riendo. Es tan agradable volver a sentir alegría. Me observa con una pequeña sonrisa en su rostro y mueve su pulgar hacia mis labios, acariciándolos.

—Desearía que te rieras más a menudo —confiesa.

—Lo intentaré.

Cuando llegamos al restaurante con el piano, levanta lentamente su mano de mi cara. Volteo hacia la esquina donde debería estar el piano y se me borra la sonrisa. No está allí. En su lugar hay dos grandes macetas. Miro a mi alrededor, preguntándome si lo habrán puesto en otro lugar, pero no hay rastros de él.

—¿Podemos salir de aquí? —inquiero, mirando las macetas, haciendo todo lo posible por contener las lágrimas.

Pasha gira la llave en la cerradura, abre la puerta de su apartamento y la sostiene para mí. Entro y me dirijo directamente al baño para echarme agua en la cara. Al atravesar la sala me detengo a mitad de la misma. Allí, en la pared junto a la ventana, hay un pequeño piano blanco. Es el del centro comercial. Me cubro la boca para ahogar un sollozo.

—¡¿Cómo?! —exclamo con la mirada fija en el piano.

—Lo compré la semana pasada y lo guardé en un almacén cercano, listo para traerlo aquí cuando saliéramos —informa *Pasha* detrás de mí, y siento su mano en la parte baja de mi espalda—. Quería darte una sorpresa. Ni siquiera te diste cuenta de que tomamos el camino más largo para darle más tiempo al personal de entrega.

—Pero ¿por qué?

—Me di cuenta de que no te sentías cómoda en el centro comercial. Iremos otra vez, únicamente porque necesitas adaptarte a estar entre una multitud. Sin embargo, debes poder tocar donde puedas disfrutarlo.

—Gracias —susurro, apretando los labios con fuerza. Quiero darme la vuelta y besarlo, aunque no creo que me deje.

—¿Tocarías algo para mí? —pregunta.

—Sí.

Sujeto su mano y lo llevo al otro lado de la sala. Incluso compró el banco que había junto al piano. Tomo asiento en un extremo y lo jalo para que se siente a mi lado.

Inclinada hacia delante, paso las puntas de mis dedos por las teclas, coloco las manos y toco. Elijo una de mis piezas modernas favoritas, *River Flows in You* de Yiruma. Es relajante pero fuerte, seductora y llena de sentimiento. Me recuerda a *Pasha*.

Él no habla. No cuestiona qué estoy tocando. Solamente permanece sentado, enorme y silencioso, observando mis manos mientras paso de una pieza a otra. En algún momento, su mirada pasa de mis manos a mi cara y se queda ahí.

Pavel

Durante más de una hora, me siento en el banco junto a Asya, escuchándola tocar. O mejor dicho, la miro mientras toca. Me resulta imposible apartar los ojos de su cara y ver cada emoción que cruza en sus facciones. Cuando toca una pieza rápida y alegre, sonríe de oreja a oreja. Cuando cambia a algo lento y triste, su sonrisa se desvanece. No se limita a tocar las notas; siente y experimenta cada emoción a medida que la melodía fluye a través de ella, iluminándola por dentro y por fuera.

Cuando por fin puedo apartar mi mirada de su rostro y miro el reloj, veo que son casi las dos. Solo desayunamos esta mañana y, aunque no me importa saltarme comidas, no quiero que Asya pase hambre.

Me levanto del banco y me dirijo a la cocina en busca del menú del restaurante de comida rápida que hay a una calle, pero cambio de idea y abro la nevera. Estoy acostumbrado a tenerla siempre casi vacía, así que es extraño ver todos los estantes repletos. Asya suele pedir lo que necesita por Internet con mi teléfono, así que no sé ni la mitad de lo que hay. Muevo un montón de verduras a un lado y saco un paquete de pollo. Bueno, al menos creo que es pollo. Asya nos ha estado preparando la comida todos los días, así que supongo que hoy puedo encargarme yo de esa tarea. Encuentro la sartén en el armario y volteo hacia la isla, donde guarda las especias en una gran cesta negra. Hay al menos veinte frascos pequeños. Saco uno y huelo su contenido. Está etiquetado como salvia. ¿No es un tipo de té? Dejo el frasco en su sitio y agarro otro. Este parece sal, pero tiene algunas cosas verdes.

—¿Necesitas ayuda? —La voz de Asya suena detrás de mí.

—Estabas tocando. Quería hacer algo para comer. Estoy buscando la sal. De la normal. —Me doy la vuelta y la encuentro sonriéndome.

—Entonces, ¿sabes cocinar?

—Sé calentar las sobras de comida para llevar. ¿Eso cuenta?

—Eso no cuenta. —Asya se ríe y yo absorbo el sonido. Me encanta cuando se ríe—. Vamos, te enseñaré a preparar algo sencillo.

Me quita el frasco de la mano y lo abre. Sin apartar su mirada de la mía, se lame la punta del dedo y lo mete dentro.

—Toma. Pruébalo. Es solo sal con hierbas. —Levanta su dedo y lo pone frente a mí.

La observo fijamente. Sigue sonriendo. Lentamente, tomo su mano y la acerco a mi boca. Sin apartar mi mirada, lamo la punta de su dedo, pero no puedo concentrarme en su sabor. Toda mi atención está puesta en la cara de Asya. Se muerde el labio inferior y me mira con los ojos muy abiertos. Avanzo un paso hasta que nuestros cuerpos se tocan. Noto cómo su pecho sube y baja mientras su respiración se acelera. Su mano libre se posa en la parte baja de mi espalda y se desliza bajo el dobladillo de mi camiseta. Noto el calor de su tacto. Me entran unas ganas tremendas de agarrarla, echármela al hombro y llevarla al dormitorio más cercano.

La mano de Asya me recorre la espalda y me asaltan imágenes de ella desnuda debajo de mí mientras beso cada centímetro de su cuerpo. Tal y como he estado imaginando durante días. Mal. Muy mal.

Le suelto la mano y retrocedo rápidamente, girándome hacia la isla de la cocina.

—¿Qué más necesitamos para este almuerzo?

No me pierdo el suave suspiro cuando la escucho abrir el armario detrás de mí.

—Una sartén más grande.

Asya camina por la cocina, recogiendo todo lo que necesita y cortando los vegetales mientras mis ojos la siguen todo el tiempo. Me gusta tenerla aquí, en mi espacio, más de lo que debería. Al darse la vuelta, abre el cajón que está a mi lado y mete la mano, pero duda. Miro hacia abajo y veo que hay dos marcas distintas de harina.

—Es lo mismo. Solamente que son de marcas distintas —señalo.

—Lo sé —asiente, pero no hace ademán de tomar alguna.

Durante unos instantes, espero a ver si elige, sin embargo, cuando noto una expresión de frustración en su rostro, le tomo la muñeca y muevo su mano hacia el paquete de la izquierda.

—¿Qué te parece esta?

—Gracias —murmura, saca la harina y camina hacia la estufa.

Está enfadada conmigo, pero es mejor así. Aunque no fuera por la diferencia de edad, somos de orígenes muy distintos. Ceder a la tentación y dejar que pase algo entre nosotros es imposible. Ya estoy pisando una delgada línea, y cada día es más difícil contenerme. A veces, me gustaría que llamara a su hermano para que viniera a buscarla, porque tenerla tan cerca todo el tiempo me hace sentir que voy a estallar. Pero con la misma frecuencia, me entran ganas de encontrar a su hermano yo mismo... y deshacerme de él antes de que tenga la oportunidad de arrebatármela.

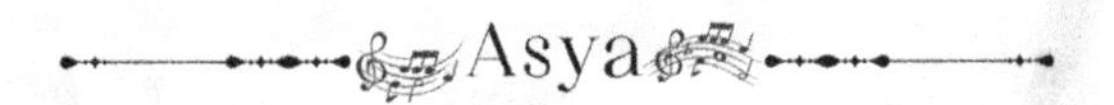

Apretando el abrigo a mi alrededor, miro fijamente hacia la puerta principal.

Llevo al menos una hora observándola. Primero, durante diez minutos seguidos desde en medio de la sala y luego di dos pasos hacia ella y seguí mirándola. Me llevó una hora de este ciclo de mirar, dar un paso y mirar para finalmente alcanzarla. Mientras agarro el picaporte, me tiembla la mano. Me muerdo el labio inferior, abro la puerta y salgo del apartamento.

El apartamento de *Pasha* está en el tercer piso, pero como la mayoría de los inquilinos usan el ascensor, la escalera está vacía. Poco a poco, desciendo. Es toda una hazaña, teniendo en cuenta lo mucho que me tiemblan las piernas.

Pasha fue a una reunión con su *Pakhan* hace dos horas, así que debería volver pronto. Podría haberlo esperado, pero ya no soporto esta sensación de impotencia. Llevo más de un mes escondiéndome en su apartamento como si fuera una delincuente, y por fin decidí que no lo haré ni un segundo más. Voy a salir del edificio y voy a dar una vuelta alrededor de la calle. *Sola.* Son las tres de la tarde, ¿qué podría pasar? Un pequeño paseo, algo completamente normal, y volveré. He salido varias veces con *Pasha*. Estaré bien.

Cuando llego al vestíbulo, saludo con la mano al guardia de seguridad que está sentado detrás de su escritorio y me dirijo hacia la salida. Una gran puerta corrediza de vidrio me permite ver a la gente que pasa por la acera. Al acercarme a la puerta, me invade una oleada de náuseas que empeora gradualmente a medida que me acerco. La puerta se desliza hacia un lado. Me trago la bilis y doy los últimos pasos.

Mis pies llegan a la acera. Me detengo y miro al cielo, sintiendo los rayos del sol en mi cara. No fue tan difícil.

Alguien pasa a mi lado rozándome el hombro con su brazo. Me sobresalto y miro a un lado para ver a una mujer mayor que se aleja. Da la vuelta a la esquina y desaparece de mi vista. Tengo náuseas y aún me tiemblan ligeramente las manos y las piernas, aunque ahora que finalmente he cruzado el umbral me siento mejor.

Al otro lado de la calle se escuchan risas mientras un grupo de chicos corre hacia el interior de un edificio. A la izquierda hay un supermercado con mucha gente entrando y saliendo, así que decido girar a la derecha. Casi llego a la esquina cuando un taxi se detiene justo adelante y un hombre sale de él. Me detengo y observo cómo toma un bolso para *laptop* del asiento trasero. Viste un traje negro con camisa blanca y corbata gris oscuro bajo su abrigo desabrochado. Mi corazón late al doble de su velocidad normal. Se me entrecorta la respiración. El taxi se marcha y el hombre se coloca la correa del bolso al hombro y se dirige hacia mí. Doy un paso hacia atrás. Luego otro. El hombre sigue caminando y, con cada uno de sus pasos, mi respiración se vuelve más errática. Me doy la vuelta y corro.

Gente. Demasiada gente. Todos me miran. Choco contra el pecho de alguien. Dos manos me agarran los brazos, probablemente para sostenerme, pero siento como si me clavaran garras en la piel. Grito y, en cuanto las manos me sueltan, vuelvo a correr.

Pavel

—¿Averiguó algo la mesera que se acuesta con Dushku? —indaga Roman.

—No —respondo—. Al parecer, habló de algún cargamento confiscado y se quejó de que su mujer gastaba demasiado dinero en zapatos. Pero eso es todo.

—Conozco a Dushku desde hace quince años. Es un conspirador experto y despiadado cuando se trata de negocios. Sin embargo, nunca se involucraría en el tráfico de personas. Si hay una conexión aquí, no la estamos viendo. —Se dirige a Dimitri—. ¿Qué hay de los hombres que tienes siguiendo al yerno de Dushku?

—Nada.

Roman golpea la superficie de su escritorio con su mano.

—¿Cómo se llama el tipo al que Julian envía a hacer sus encargos? ¿Besim?

—Bekim —corrige Dimitri.

—Ese. Quiero que Mikhail tenga una charla con él. Alguien se atrevió a enviar mercenarios al club de la *Bratva* y matar a nuestros hombres solo para callar a un aparente don nadie. Significa que hay mucho en juego. Averiguaremos quién es el responsable de la muerte de Yuri, y lo masacraré personalmente.

—¿Y si fue Dushku quien orquestó todo después de todo? —inquiero.

—Entonces morirá. Y no será ni rápido ni agradable. ¿La chica que se está quedando contigo ha dicho algo?

—Expresó que el hombre que la secuestró no tenía acento. Le dijo que se llamaba Robert, aunque podría ser un nombre falso.

—Haré que Maxim consiga fotos de los hombres de Dushku. ¿Sería capaz de reconocerlo?

—Probablemente.

—Bien. ¿Cuándo planeas llevarla con su familia? Lleva un mes en tu casa.

Mi cuerpo se pone rígido. Siempre he sido honesto con Roman. Excepto hoy.

—No quiere decirme su apellido ni darme su teléfono —miento—. No tengo forma de encontrarlos hasta que ella lo haga.

—¡Perfecto! —brama—. ¿Y cuánto tiempo esperas permanecer en estas vacaciones imprevistas? Los clubes no funcionarán por sí solos.

—Me llevé todo lo que necesitaba de la oficina y he estado trabajando desde casa. Kostya se ha estado encargando personalmente de todo lo que no puedo hacer remotamente.

—De acuerdo. Pero el próximo sábado te necesito en Baykal. Tengo una reunión con los ucranianos. Quieren trabajar con nosotros.

—¿Ya superaron todo el problema con Shevchenko?

—Todos saben que Shevchenko era un idiota. Sergei les hizo un favor matándolo. —Roman se encoge de hombros—.

Enviarán a un tipo nuevo para que se encargue de las negociaciones. Viene con otros dos hombres.

—De acuerdo. Doblaré la seguridad.

Se reclina en su silla y señala con la mano mi atuendo de *jeans* y camiseta.

—¿A qué se debe este nuevo estilo de moda?

—Necesitaba un cambio —contesto y veo que levanta una ceja—. ¿Algo más?

—No. Puedes irte. Dimitri y yo nos ocuparemos del resto.

Asiento y salgo de la oficina del *Pakhan*.

Cuando estoy caminando por el pasillo, la puerta de la cocina se abre de golpe y una mujer delgada y de cabello castaño, con un vestido manchado de pintura, sale corriendo. Tiene las manos cargadas de *piroshki* y se esfuerza por que no se le caiga ninguno. En la parte de arriba de la escalera, una niñita de cabello oscuro empieza a saltar y a aplaudir. Su dulce risita resuena en las altas paredes del pasillo. La esposa y la hija de Roman. Nina Petrova sube corriendo las escaleras y casi llega arriba cuando la puerta de la cocina vuelve a abrirse de golpe e Igor, el cocinero, sale tambaleándose y gritando obscenidades en ruso. Si Roman lo atrapa maldiciendo delante de su pequeña, el viejo cocinero estará muerto. Sacudo la cabeza y me dirijo hacia la puerta principal mientras el coro de gritos de Igor y risas femeninas resuena detrás de mí.

—Señor Morozov. —Asiente con la cabeza el guardia de seguridad del vestíbulo de mi edificio cuando entro—. ¿Qué tal su día?

—Estuvo bien, Bobby. Gracias.

—*Oh*, su novia no ha regresado, todavía.

Me detengo en seco.

—¿Qué?

—Se fue hace media hora. Pensé que le gustaría saberlo.

—¿Se fue? —pregunto mientras el pánico inunda mi sistema—. ¿Adónde?

—No estoy seguro. Simplemente caminó hacia afuera. No vi hacia dónde se fue.

Corro hacia el mostrador de seguridad y me acerco por el otro lado.

—Muéstrame la grabación de las cámaras de ese momento.

Pasa el vídeo al momento en que Asya sale. Se queda parada en la acera, a la vista de la cámara durante un par de instantes, y luego se va hacia la derecha. Unos minutos después, pasa corriendo por delante de la entrada a una velocidad frenética. No puedo ver su rostro, pero por la velocidad a la que se mueve, estaba muerta de miedo.

—¡Llámame si regresa! —exclamo y me apresuro hacia la salida.

Corro por la acera, mirando frenéticamente hacia todos lados, pero no veo a Asya por ninguna parte. Hay un supermercado cerca. Entro y le inquiero al cajero si vio a una chica con la descripción de Asya, aunque no hace más que negar con la cabeza. Salgo de la tienda y sigo calle abajo, preguntándole a la gente si la han visto, entrando en otros negocios, pero nadie ha visto a la chica fugitiva. Cuando llego al cruce que hay al final de la calle, doy la vuelta y regreso.

Aquí hay demasiadas personas. Dudo que se metiera entre una gran multitud.

El miedo y la ansiedad crecen en mi interior a cada minuto que pasa. No pudo haber ido muy lejos, así que, ¿por qué no puedo encontrarla? Debería haberle comprado un teléfono para que me llamara si me necesitaba. Ni siquiera se me había ocurrido hasta ahora, ya que casi siempre estábamos juntos. ¡Idiota!

Veo a un grupo de chicos riéndose en los escalones de un edificio al otro lado de la calle, así que corro hacia ellos.

—¿Vieron a una chica pasar corriendo hace unos cinco minutos? —indago.

—¿Abrigo amarillo. Cabello castaño largo? —pregunta un niño de unos nueve años.

—Sí. —Asiento con la cabeza.

—Creo que la vi corriendo por allí. —Señala hacia el callejón detrás del supermercado—. Parecía asustada.

Me doy la vuelta y atravieso la calle corriendo, por poco me atropella un taxi, y me meto en el estrecho callejón. A simple vista parece desértico, pero sigo adentrándome y paso junto al contenedor de basura que hay junto a la puerta trasera de la tienda. El olor a fruta podrida que sale de los contenedores de basura me invade, recordándome una época en la que lo único que podía oler era el hedor de la comida podrida. Aprieto los puños y doblo la esquina, moviéndome entre los edificios.

Es culpa mía. Debería haber sacado a Asya afuera más a menudo, un poco más cada día, para que se hubiera acostumbrado de nuevo a estar rodeada de otras personas. Debería haber insistido en que fuera al psiquiatra o haberme esforzado más por convencerla de que llamara a su hermano. Necesita volver a su vida, a su familia. No hice nada de eso. En cambio, la dejé esconderse en mi casa. Conmigo.

Me gusta despertarme con ella acurrucada a mi lado, con su pequeño cuerpo pegado al mío, como si incluso dormida buscara inconscientemente mi presencia. O cómo se sube a mi regazo cuando nos sentamos a ver la televisión por las tardes y apoya su cabeza en mi hombro. Normalmente se duerme después de diez minutos, pero yo me quedo en el sofá durante horas, y únicamente cuando está bien entrada la noche la llevo a la cama. Eso alimenta el anhelo que se ha despertado en mí, mi necesidad interna de tenerla siempre en mis brazos, de saber que está a salvo donde nadie pueda volver a lastimarla. Lleva más de cuatro semanas quedándose conmigo, no obstante, continúa siguiéndome por todo el departamento, agarrándome de la mano o del dobladillo de mi camiseta. Se siente bien que me necesiten. Así que dejé de intentar convencerla de que llamara a su familia. El hijo de puta egoísta en el que me he transformado quiere quedarse con ella.

El callejón se desvía hacia la derecha y termina en un gran muro de concreto. Una camioneta está estacionada junto a él. No hay nadie. Casi me doy la vuelta para regresar cuando veo algo amarillo debajo del vehículo. Me acerco corriendo y me detengo en seco. Allí, entre la camioneta y el muro, está Asya, tumbada de lado, con su cara hacia la pared y sus brazos apretados alrededor de su cintura.

—Dios. —Me arrodillo y la recojo entre mis brazos. Está temblando. En cuanto la tengo abrazada, sus brazos me envuelven el cuello y sus piernas me rodean la cintura. Le pongo la palma de la mano en la nuca y arrimo su cara a mi cuello.

—Está bien, *Mishka* —susurro—. Te tengo.

Patética.

Débil.

Así es como me siento mientras *Pasha* me lleva de vuelta a su apartamento. No tengo valor ni para levantar la cabeza y mirar hacia arriba porque temo volver a asustarme. En lugar de eso, mantengo la cara hundida en su cuello.

No entiendo por qué sigue preocupándose por mí. Lo único que hice fue irrumpir en su vida y crearle un lío. He estado temiendo el momento en que me siente y me diga que es hora de que me vaya. Está destinado a suceder, y probablemente sea pronto. No soy nada para él. No puedo seguir perturbando su vida. Pero la sola idea de separarme de él me hace estremecer del terror que desata en mi interior.

—Vamos a ducharte —indica *Pasha* mientras me lleva dentro del apartamento. En el baño, se detiene junto a la ducha, esperando a que lo suelte. Pero yo me aferro más a él—. Asya, nena. Mírame.

Muy a mi pesar, levanto la cabeza de su cuello y lo miro a los ojos. Creo que nunca he conocido a alguien con unos ojos como los de *Pasha*, son de un color gris metálico muy llamativo.

—Tienes que lavarte el cabello —agrega con su voz

profunda, y parece que puedo sentirla hasta los huesos—. Tienes aceite de motor por todas partes.

—¿Puedes hacerlo tú? —suelto y me arrepiento en cuanto las palabras salen de mi boca. Como si no estuviera ya bastante agobiado conmigo.

Pasha me observa por unos momentos, levanta su mano como si quisiera ponérmela en la cara, pero cambia de opinión y lo único que hace es quitarme los anteojos.

—Está bien. —Deja las gafas junto al lavado y me baja lentamente.

Me quito el abrigo y el suéter, luego los zapatos y mis *jeans*. *Pasha* espera pacientemente frente a mí, con sus ojos clavados en los míos. Incluso cuando me quito el sostén y las bragas, su mirada no baja más.

Debería incomodarme estar desnuda delante de él. No es así. La sola idea de que un hombre mire mi cuerpo desnudo suele hacer que la bilis suba por mi garganta. Cualquier hombre excepto él. Desearía que me mirara más abajo. Que me toque. Que me bese.

Entro en la ducha y abro el grifo. El agua me golpea desde arriba, el líquido cae directamente sobre mi cabeza, haciendo que los riachuelos recorran mi cuerpo. Permanezco inmóvil bajo el chorro y veo cómo *Pasha* se quita la chaqueta, los zapatos y los calcetines y entra en la ducha completamente vestido. Toma el champú del estante, vierte una cantidad tres veces mayor de la necesaria en la palma de su mano y me mira.

—Date la vuelta —ordena con voz más ronca que de costumbre.

Le doy la espalda y estiro la mano para cerrar el grifo de la ducha. Cuando el sonido del agua cesa, lo único que puedo escuchar es la respiración profunda de *Pasha*. Me toca primero la parte superior de la cabeza y me masajea el cuero cabelludo. Los latidos de mi corazón se aceleran. Por error, tomó su champú, no el mío. Pero no lo detuve. Cierro los ojos e inhalo, dejando que el aroma a salvia y cítricos llene mi nariz. Creo que nunca podré relacionar esos dos aromas con otra cosa que no sea quedarme dormida junto a *Pasha*.

Su mano se aparta de mi cabello. Vuelvo a abrir el agua de la ducha y me doy la vuelta lentamente.

El agua cae en cascada por mi rostro, nublándome la vista, pero no lo suficiente como para ocultar la visión de su enorme pecho frente a mí. Su camiseta blanca está completamente mojada y pegada al cuerpo, revelando las imágenes tatuadas en su piel. Rara vez se quita la camiseta delante de mí. Creo que piensa que sus tatuajes me asustan. No es así. Nada de *Pasha* me asusta, sino todo lo contrario. El único momento en el que me siento absolutamente segura es cuando él está conmigo.

Levanto la cabeza y me encuentro con sus ojos grises observándome fijamente. Dios, tengo tantas ganas de besarlo. Llevo semanas pensando en ello, aunque no puedo decidir si debería hacerlo o no. Sin embargo, ahora que lo miro, mojado de pies a cabeza porque le pedí que me lavara el cabello, no tengo que decidir. No hay duda de si quiero o no, solo la necesidad de sentir sus labios en los míos. Levanto mis manos para tocar su cara con ellas y atraigo su cabeza hacia abajo.

—Asya. —Se inclina lentamente, mirándome a los ojos.

—Me encanta cómo dices mi nombre. —Sonrío. Lo pronuncia con un acento ruso. Me pongo de puntitas, levanto la cabeza y rozo ligeramente su boca—. Di mi nombre otra vez. Quiero saber cómo sabe en tus labios. —La mano de *Pasha* se posa en mi nuca, acariciando la piel sensible, mientras sus ojos se clavan en los míos—. Por favor —susurro sobre sus labios.

Apoya su frente contra la mía y cierra los ojos.

—Te hicieron daño.

—Lo sé. —Muevo mi mano a lo largo de su mandíbula y entierro mis dedos en sus mechones húmedos.

—Tienes dieciocho años —dice—. Soy demasiado viejo para ti, *Mishka*.

Muerdo ligeramente su labio inferior.

—Tonterías.

Su mano en mi nuca aprieta mi cabello. Su aliento me acaricia la cara al exhalar y abre los ojos para mirarme.

—Asya —susurra en mis labios y luego los aprisiona con los suyos. Agarro la tela de su camiseta mojada para mantenerme quieta mientras dejo que me devore con su boca—. Asya —repite entre besos, moviendo sus labios hacia mi barbilla y a lo largo de mi cuello—. Mi pequeña Asya.

Agarro el dobladillo de su camiseta y la subo por encima de su cabeza. Las manos de *Pasha* se deslizan por mi cuerpo, deteniéndose bajo mis muslos mientras me levanta. Lo rodeo con los brazos y las piernas al mismo tiempo, como tantas otras veces. El movimiento es tan natural que parece que lo hubiera hecho toda la vida. Me carga fuera del baño y hacia la cama, besándome durante todo el camino.

—No haremos nada, *Mishka* —asegura y me baja hasta colocarme junto a la cama—. Solo te besaré. ¿De acuerdo?

Asiento con la cabeza y rozo su mejilla con la palma de mi mano.

—Está bien.

—Tengo que cambiarme de ropa. Espérame aquí.

Oh, eso no pasará. Salto de nuevo a sus brazos.

—Asya. —Me mira—. Necesito ir al clóset, nena.

Sé lo que quiere decir. Sus trajes están ahí.

—No miraré —replico.

Pasha aprieta su brazo alrededor de mi espalda.

—Bien. Seré rápido.

Se apresura. Ni siquiera me fijo en los trajes porque él entra corriendo, toma unos bóxers, pantalones de pijama y una camiseta, y sale en menos de cinco segundos.

Cuando me deja de nuevo en la cama, vuelvo a mi sitio junto a la pared y cubro mi cuerpo desnudo con las sábanas. Mi cabello aún está mojado y empapará la almohada, pero no me importa. *Pasha* me da la espalda y, con un par de movimientos rápidos, se quita los *jeans* y la ropa interior mojada y se pone bóxers secos y el pantalón de pijama.

—No —suelto cuando intenta ponerse la camiseta.

Mira por encima de su hombro y luego a la camiseta que tiene en la mano.

—¿*Mishka*?

—Por favor —musito.

Pasha asiente con la cabeza y arroja la camiseta sobre el sillón reclinable. El colchón se hunde cuando se mete en la cama. En cuanto está a mi lado, me inclino hacia delante y beso su pecho desnudo. Su mano pasa por debajo de mi barbilla y me levanta la cabeza.

—No pasará nada esta noche. Solo besos y nos abrazaremos. Pero si quieres que paremos, tienes que decírmelo. Inmediatamente, Asya.

Al oír esas palabras me entran ganas de llorar, pero las reprimo. Rodeo su cuello con mis brazos y aprieto mis labios contra los suyos. Su mano me acaricia la espalda por encima de la manta. Me la quito de encima y continúo besándolo. La palma de la mano de *Pasha* presiona la parte baja de mi espalda y, por un breve instante, me quedo paralizada. Retira rápidamente la mano y se queda totalmente inmóvil.

—No pasa nada —pronuncio en sus labios—. Sé que eres tú. —Vuelve a poner su mano lentamente, sin embargo, apenas me toca. Suspiro, paso una pierna por encima de su cintura y me subo encima de él—. Por favor, deja de tratarme como si fuera a romperme cuando el viento sopla en mi dirección.

La mano de *Pasha* me acaricia la mejilla, rozándome la piel bajo el ojo con el pulgar.

—Me temo que así será.

—No puedes romper algo que ya se ha roto irreparablemente, *Pasha*. —Aprieto mi mejilla contra su mano. Su mandíbula se pone rígida y la vena de su sien palpita.

—Te arreglaremos, *Mishka* —jura apretando los dientes y acercándome la cara—. Te prometo que uniremos todas las piezas rotas. Y luego aniquilaremos a los bastardos que te hicieron daño.

Presiono mi boca contra la suya. No creo que vuelva a ser quien era antes, pero no se lo digo. Solamente lo beso.

El brazo de *Pasha* rodea mi cintura y nos hace rodar hasta que estoy boca arriba con su cuerpo sobre el mío.

—¿Está bien? —pregunta, y yo asiento con la cabeza.

—Solamente nos besaremos, y nada más, Asya. ¿Recuerdas?

Cuando vuelvo a asentir, *Pasha* se desliza hacia abajo, su boca se posa en mi clavícula y recorre el centro de mi pecho hasta mi estómago. Sus manos recorren mis brazos, mis costados, sus caricias lentas y suaves como plumas.

—Nadie volverá a lastimarte, *Mishka* —susurra mientras desciende por mi cuerpo y sus labios recorren cada centímetro de mi piel, desde mi pierna derecha hasta mis pies, pasando por la izquierda. Cuando vuelve a subir, dejando un rastro de besos en el interior de mis muslos, esa voz espantosa susurra dentro de mi cabeza.

«Eres repugnante. No sé cómo puede soportar poner su boca en algo tan asqueroso como tú. Para lo único que sirves es para que te follen sin piedad. No te mereces nada mejor».

Aprieto los ojos y muevo las manos por mi cuerpo, ocultando mi sexo con ellas. La boca de *Pasha* se detiene en el hueso de mi cadera.

—¿Nena? ¿Quieres que me detenga?

Sacudo la cabeza.

—Por favor, no —suplico—. Pero no allí.

—De acuerdo. No haré nada que te haga sentir incómoda.

—No es eso —comento.

Pasha sube por mi cuerpo y toma mi cara entre sus manos.

—Dame tus ojos, Asya.

Abro los ojos y lo veo mirándome con preocupación. No me merezco esto. Ni lo merezco a él.

—¿Qué fue lo que hice mal? —inquiere, y siento que las lágrimas se me acumulan en las comisuras de los ojos.

—No hiciste nada malo. —Me atraganto—. Solo que no quiero tus labios ahí.

—¿Por qué, nena?

—Porque… —Vuelvo a cerrar los ojos y aprieto las piernas—. Porque estoy sucia.

Siento el beso posarse en mis labios.

—No hay nada sucio en ti —asegura—. Eres la cosa más hermosa y pura que he conocido, Asya. —Otro beso—. Y borraré todos tus malos recuerdos, si me lo permites.

La punta de su dedo recorre mi ceja.

—¿Por favor?

—Está bien. —Asiento con la cabeza.

Pasha toma mi mano y la coloca en su nuca.

—Agárralo y jala.

Entierro los dedos en su cabello y agarro sus sedosos mechones.

—Más fuerte, *Mishka* —ordena y asiente cuando lo hago—. Bien. Quiero que hagas eso en cuanto quieras que pare. ¿Trato hecho?

—Sí.

Vuelve a besarme los labios antes de deslizar su boca hacia mi barbilla, mi cuello, mi clavícula, mis pechos y mi estómago y después se detiene. Como no hago nada, desciende aún más hasta que sus labios alcanzan mi pelvis, y espera de nuevo, observándome. Hace una pausa para darme la oportunidad de detenerlo, sin embargo, no lo hago. Respiro profundamente y asiento con la cabeza.

Un beso se posa en el centro de mis pliegues. Luego otro. Una pausa. Dos besos más y me estremezco.

—¿Asya?

—Estoy bien —murmuro.

Otro beso. Lame tentativamente. Las manos de *Pasha* empujan el interior de mis muslos, abriendo más mis piernas. Al siguiente instante, su lengua presiona mi clítoris. Inhalo y vuelvo a estremecerme al sentir un hormigueo en mi interior. Varias lamidas más y otro beso. Sus labios se amoldan a mi coño y succionan. Suelto un gemido y aprieto su cabello sin pensarlo.

Pasha levanta rápidamente la cabeza.

—¿Nena?

—Lo siento. —Le suelto el cabello y vuelvo a empujar su cabeza entre mis piernas—. Más.

Vuelve a lamerme, primero despacio, luego más deprisa. La presión entre mis piernas aumenta, pero necesito más. La boca de *Pasha* se desliza hacia abajo, su lengua entra en mí, y jadeo ante la sensación. Mi cuerpo comienza a temblar.

—Necesito... —musito, arqueando la espalda—. Necesito más.

—Por hoy, solo mi boca, *Mishka* —declara *Pasha* y vuelve a chuparme el clítoris. Mi cuerpo tiembla, anhelante.

—¡Más! —grito y agarro su cabello con todas mis fuerzas.

Sigue jugueteando con mi clítoris, pasando de lamerlo a chuparlo, mientras su mano recorre el interior de mi muslo y se acerca a mi centro. Mi respiración se acelera en cuanto siento su dedo en la entrada, estoy a punto de estallar. Lentamente, su dedo se desliza en mi interior, con tanto cuidado que me dan ganas de llorar. Actúa como si fuera mi primera vez. Como si no hubiera docenas de hombres que ya me penetraron a la fuerza. Echo la cabeza hacia atrás y gimo, disfrutando de la sensación extraña de flotar que me invade mientras la humedad se acumula entre mis piernas. Cuando tiene su dedo completamente dentro, presiona sus labios sobre mi clítoris y chupa, con fuerza, y siento como si estallara en un millón de mariposas diminutas. Nunca imaginé que sentir un orgasmo fuera tan placentero.

Mi cuerpo sigue temblando cuando *Pasha* se tumba a mi lado. Me rodea por delante con el brazo, me pone la mano en la nuca y hunde mi cara en el hueco de su cuello.

—Desearía que mi primera vez hubiera sido contigo —agrego en un susurro.

—Lo será.

—*Pasha*, sabes muy bien…

Su mano me cubre los labios.

—Tu primera vez será conmigo —me asegura al oído—. Todo lo de antes, no cuenta. ¿Lo entiendes?

Aprieto los labios, intentando no llorar mientras algo cálido me invade el pecho, uniendo un par de pedazos rotos de mi alma.

Capítulo *quince*

Pavel

—*Pasha, ma che fai?* —*¿Qué estás haciendo?*

Levanto la vista del espagueti que estaba a punto de poner en la olla. Asya está parada al otro lado de la isla de la cocina, mirando mis manos horrorizada.

—¡Los espaguetis no se rompen! —Camina alrededor de la isla, sacudiendo la cabeza.

—Son demasiado largos. No caben en la olla —replico.

—No, no, no, eso jamás se hace. —Me quita la pasta de las manos y la tira en el cesto de basura del rincón. Luego, se dirige a la alacena, probablemente para sacar otro paquete. Se tensa en cuanto abre la puerta del mueble, aprieta el asa con la mano mientras mira las bolsas de pasta alineadas en el estante superior. Todas son de marcas diferentes. Me acerco y levanto la mano que tiene libre hasta que la tiene justo frente a las bolsas.

—Tómate tu tiempo —le comento al oído y le suelto la mano.

Asya se queda mirando el estante. Con su mano aún en el aire, se muerde el labio inferior y agarra la bolsa de en medio.

—Lo hice —pronuncia, apretando la bolsa.

—Lo hiciste. —Sonrío y le doy un beso en el cuello.

Ella ladea la cabeza, dándome más acceso.

—Estoy muy orgulloso de ti, nena.

—Nunca lo habría logrado sin ti. —Voltea a verme—. Lo sabes, ¿verdad?

—Lo habrías hecho.

—No. Probablemente no. —Me pone la mano en la nuca y me atrae hacia ella para darme un beso rápido—. Gracias.

Se apresura por la cocina, poniendo la pasta en la olla y sacando el queso de la nevera. Tiene una pequeña sonrisa en los labios, y siento una calidez en el pecho al verla. Estoy tan jodidamente orgulloso de ella. Tomó semanas de práctica llegar a este punto, y está mejorando considerablemente. Puede que tardemos un poco más en llegar a un punto en el que no necesite que la guíe hacia la decisión, pero al final lo conseguiremos. De pronto, el pánico sustituye a la calidez en mi pecho. ¿Se marchará cuando mejore? Probablemente sí.

—Volveré enseguida —comenta *Pasha* mientras entra al clóset—. Tengo que firmar algunos contratos y revisar si Kostya hizo otro desastre con los pedidos. Si me lleva más de dos horas, te llamaré.

Miro el teléfono que tengo en la mano. Ayer salió, diciendo que tenía que hacer un mandado, y volvió media hora después con una bolsa de papel blanca. Dentro había un teléfono nuevo y un par de audífonos. Dijo que eran por si quería escuchar música.

Dejo el móvil en la mesita de noche, atravieso la habitación y me detengo en el umbral del armario. *Pasha* está de pie frente a la repisa de la izquierda, buscando entre un montón de camisetas. Dejo que mi mirada se dirija al perchero de la derecha, donde cuelgan docenas de sus trajes y camisas de vestir en perfecto orden cromático, del negro al gris claro. Mordiéndome el labio inferior, entro y me acerco. Lentamente, estiro la mano hacia el gancho con un traje gris oscuro. Me tiembla la mano al tocar la tela elegante, sacando la prenda del gancho.

—Creo que deberías ponerte este hoy —sugiero y volteo para mirarlo.

Los ojos de *Pasha* se fijan en el traje que sostengo contra mi pecho y luego suben hasta que nuestras miradas se conectan.

—Nena… Yo no…

—Por favor. —Extiendo la mano y le ofrezco el traje—. Eres tú. Nunca te tendría miedo, *Pasha*.

Me mira con preocupación, no obstante, extiende la mano y toma el traje. Le ofrezco una pequeña sonrisa y me dirijo hacia el extremo del perchero donde cuelgan sus camisas. Deslizo los dedos por los ganchos hasta llegar a una de las camisas blancas, la quito y vuelvo junto a *Pasha*. Deja el traje sobre la repisa y toma la camisa de mi mano.

Se la pone despacio, con su mirada clavada en mi rostro todo el tiempo, como si estuviera esperando a que me asuste. Estoy segura de que si detecta el más mínimo rastro de miedo en mi rostro, se quitará la camisa en un segundo. Pero no lo verá. Siempre será mi *Pasha*, se ponga lo que se ponga.

Una vez abotonada la camisa, espera unos instantes antes de tomar los pantalones y ponérselos. Finalmente, agarra la chaqueta.

—¿Está bien? —pregunta.

Asiento con la cabeza y sonrío. Cuando se pone la chaqueta, estiro la mano y le enderezo las solapas.

—Una cosa más —indico y volteo para abrir el cajón detrás de mí.

Hay una gran variedad de corbatas de seda de varios colores enrolladas y metidas en pequeños compartimentos dentro del cajón. Mis ojos las recorren hasta que encuentro una del mismo tono que su traje. Al estirar la mano para sacarla, me viene a la mente una imagen mía atada en la cama. Mi mano vacila por encima de la corbata. Alejo el recuerdo y lo sustituyo por pensamientos sobre *Pasha*. *Pasha* abrazándome en la cama, acariciándome la espalda. *Pasha* acercándome la caja de cereal a la mano, animándome a tomar una decisión. *Pasha* cargándome sana y salva hasta la casa, a pesar de que estaba sucia y cubierta de aceite. *Pasha* lavándome el cabello. *Pasha* besándome. Envuelvo con mis dedos la tela sedosa, saco la corbata y me doy la vuelta.

—¿Puedo… puedo ponértela? —balbuceo.

Él no dice nada, solo se inclina y toma mi cara entre sus manos. Tiene una mirada extraña que sostiene la mía, una mezcla de preocupación y cautela, pero también de asombro. Y orgullo.

Le pongo la corbata alrededor del cuello y empiezo a hacer el nudo, pasando la parte ancha por encima de la delgada. Me tiemblan los dedos y la tela se me resbala. Respiro profundamente, recojo el cabo suelto y reanudo mi trabajo. Cuando por fin termino, suelto la corbata y miro hacia arriba.

Es entonces cuando me doy cuenta de que *Pasha* sigue sujetándome la cara.

—Eres la persona más fuerte que conozco —halaga y acerca su boca a la mía.

El beso es suave, como si temiera que me asuste. Puede que esté rota, no obstante, lo que queda de mí está perdidamente enamorada de él. No quiero que se contenga. No quiero que sea delicado. Quiero todo de él. Le rodeo el cuello con los brazos y salto, aferrándome a él como si fuera un árbol. Su agarre en mí es instantáneo, me sostiene mientras bajo su cara y le muerdo el labio. Con fuerza.

—Quiero que me hagas el amor —pido contra su boca—. Y no quiero que te contengas.

—Está bien, *Mishka* —afirma entre besos. Siguen siendo delicados.

—*Pasha.* —Le aprieto el cabello de la nuca—. No te contengas. Necesito que no te contengas. Prométemelo.

—Asya, nena, no quiero…

Presiono mi dedo sobre sus labios.

—No quiero sentirme rota cuando estoy contigo. Así que necesito que me trates como si no lo estuviera. Dame todo lo que tienes. Por favor. Prométemelo.

Los brazos de *Pasha* se aprietan alrededor de mi cintura.

—Te lo prometo —pronuncia y choca su boca contra la mía.

Es un torbellino de besos y mordiscos duros y rápidos. Dientes que chocan y lenguas que se baten en duelo. Somos un enredo de labios y extremidades. Me aprieta tan fuerte contra su cuerpo que estoy segura de que ninguna fuerza del universo podría separarnos. Y me deleito con cada segundo.

Una melodía surge en mi mente y suena en el fondo

mientras atacamos nuestros labios con frenesí. *In the Hall of the Mountain King* de Grieg. Mis brazos alrededor de su cuello se aprietan. No dejamos de besarnos mientras me lleva a la habitación hasta que llegamos a la cama.

—Tengo que quitarme la ropa —añade contra mi boca y me baja hasta la cama.

Asiento con la cabeza y lo suelto renuentemente. Primero se quita la chaqueta y la deja caer al suelo. Le sigue la corbata. Veo la preocupación en sus ojos cuando la agarra. Me inclino hacia delante y le rozo la mejilla con el dorso de mis dedos.

—Lo prometiste.

La corbata cae también. Le siguen la camisa y los pantalones y, enseguida, está frente a mí completamente desnudo. *Mi rey de la montaña.*

Me acerco y presiono mis labios contra los suyos.

—Ahora, por favor, ayúdame a quitarme la mía.

Pavel

Respiro profundamente y rodeo la cintura de Asya con las manos. No importa lo que le prometí. No puedo hacer algo que pueda desencadenar su trauma, aunque eso signifique faltar a mi palabra. Concentrándome en su cara, agarro la cintura de sus pantalones deportivos y empiezo a bajárselos, centímetro a centímetro, con una lentitud agonizante. Si noto una pizca de incomodidad, nos detendremos. Luego, deslizo mis manos por sus piernas, por encima de sus bragas, y tiro del dobladillo de su *top*. Ella sonríe y levanta los brazos, sacudiendo su cabello oscuro mientras la camiseta se desprende de su cuerpo. Se desabrocha el sostén, lo tira al suelo y se queda en bragas frente a mí. Intenta parecer tranquila, pero veo el terror contenido en sus ojos. Y también la feroz determinación de demostrarme que no cederá, diga lo que diga. Le acaricio la cara y me inclino hacia delante hasta que estamos nariz con nariz.

—Eres lo más puro que he tocado en mi vida —declaro sosteniéndole la mirada—, y nunca, jamás te haré daño.

—Lo sé —confirma, después pone sus manos sobre las mías y se tumba en la cama, arrastrándome con ella.

—Agarra mi cabello, *Mishka*.

Su mano derecha se mueve hacia mi nuca y sus dedos se enredan entre los mechones.

—Bien. Ahora necesito que me prometas algo —ordeno.

—¿Qué?

—Incluso a la más mínima molestia, jala y me detendré.

—Te lo prometo.

Beso sus labios, su barbilla y su cuello. Mi polla está tan dura que duele, pero la ignoro y sigo llenando su cuerpo de besos. Su pequeña mano, su brazo, su hombro, a través de su clavícula hasta el otro brazo. Voy a borrar con mis labios todos y cada uno de los malévolos manoseos que recibió en su piel. Cuando llego a sus bragas, me detengo un momento, esperando a ver si me detiene. No lo hace. Recorro su vientre con una línea de besos que baja hasta su coño, aún cubierto, y vuelve a subir hasta su vientre. La mano libre de Asya se desliza hasta el encaje y lo empuja hacia abajo. Le doy un beso en el dorso de su mano, luego tomo los lados de sus bragas y se las quito lentamente.

—Nunca te lastimaré. —Me inclino hacia delante y atrapo sus labios ligeramente temblorosos con los míos—. El cabello, nena. —Respira profundamente y vuelve a agarrármelo—. Nunca —repito, dejando un camino de besos desde su cuello hasta su sexo.

Cuando deslizo mi lengua por su coño, la respiración de Asya se acelera. Sigo lamiendo, luego añado el pulgar y empiezo a masajear su clítoris. Un pequeño sonido de placer sale de sus labios y noto su humedad en mi cara. Acelero mis lamidas y sigo provocándola con el dedo hasta que estoy seguro de que está muy cerca, y entonces le chupo el clítoris. Asya arquea la espalda y gime mientras se estremece. Con cuidado, bajo hasta colocarme sobre ella, pero mantengo la mayor parte de mi peso sobre mis codos. Abre los ojos y nuestras miradas se cruzan.

—Sí —responde a mi pregunta silenciosa y abre un poco más las piernas.

Coloco mi polla en su entrada y comienzo a deslizarme lentamente. Me cuesta contenerme porque la necesidad de perderme dentro de ella es abrumadora, no obstante, mantengo un ritmo constante, un centímetro a la vez. Y no dejo de mirarla a los ojos en ningún momento.

Respira agitadamente y tiene los ojos muy abiertos, aunque no me suelta el cabello. Cuando estoy completamente dentro de ella, jadea y sus labios se dibujan en una sonrisa. Y entonces, su agarre en mi cabello se afloja y desaparece por completo.

—¡Ahora necesito que cumplas tu promesa! —exige y me besa la mandíbula—. Necesito que me trates como si no estuviera rota.

—Tú eres tú, *Mishka*. —Salgo, hago una pausa y vuelvo a entrar lentamente—. Absolutamente perfecta… —Retrocedo y vuelvo a deslizarme dentro, pero un poco más rápido—. Tal y como eres.

Es casi imposible dominar mis impulsos, pero me controlo y ajusto el ritmo para que aumente lentamente, haciendo que cada embestida sea un poco más rápida y fuerte que la anterior. Asya me abraza con las piernas, levanta la barbilla y me mira fijamente a los ojos.

—Demuéstramelo. —Me clava las uñas en los brazos—. Dámelo todo.

Mi control se rompe en un instante. Me entierro en ella hasta el fondo. Su cuerpo comienza a temblar debajo de mí.

—Más —gime entrecortado. Salgo e inmediatamente vuelvo a penetrarla, tocando su calor hasta el fondo—. ¡Más rápido!

La agarro por la nuca y me abalanzo sobre ella, rápido y con fuerza, con la imagen de su cara sonrojada grabada para siempre en mi memoria. El marco de la cama cruje bajo nosotros. Engancho mis dedos detrás de su rodilla, levantando su pierna y abriéndola más para poder deslizarme más adentro. Las manos de Asya me aprietan los brazos y suben hasta envolverme el cuello, bajando mi cabeza para besarme. Consumo sus labios como un hambriento, tomando más y más mientras me muevo dentro de ella.

Un gemido se escapa de la delicada garganta de Asya. Me retiro completamente y me quedo observándola un instante antes de volver a penetrarla con fuerza. Su coño se estremece alrededor de mi polla mientras su aliento caliente me abanica la cara. Grita mientras se corre. Escuchar los sonidos de su placer y verla correrse debajo de mí me produce una descarga que me hace estallar con un gemido al instante siguiente.

Asya

Estoy de nuevo en la habitación de las cortinas rojas. El fuerte olor a colonia de hombre impregna el aire. Tengo las manos atadas a la cabecera y un enorme cuerpo masculino se cierne sobre mí. Gotas de sudor apestoso caen de su frente sobre mis pechos. El dolor se extiende por todo mi ser cuando me penetra una y otra vez. Grito.

—Shhh. Solo es un sueño. —Me tranquiliza al oído la profunda voz de *Pasha*—. Estás a salvo.

El pánico retrocede y se apaga por completo cuando me acerca a él y me rodea la cintura fuertemente con su brazo. Ya no tengo pesadillas tan a menudo, pero cuando las tengo, son malas.

—¿Estás bien? —pregunta y me da un beso en el hombro.

Me doy la vuelta para quedar frente a su pecho desnudo y tatuado. La lámpara de la mesita de noche está encendida, aunque muy tenue, arrojando una suave luz amarilla sobre las formas negras y rojas. Estiro la mano para acariciar la línea de un cráneo bañado en sangre. Es uno de tantos. Debe de haber por lo menos diez cráneos diferentes solamente en su pecho. El resto de los tatuajes son escenas igualmente perturbadoras.

La mayoría de los hombres de la *Cosa Nostra* tienen algún tatuaje. Incluso mi hermano tiene una manga entera tatuada. Pero creo que no conozco a nadie que tenga toda la parte superior del cuerpo tatuado como *Pasha*.

—¿Por qué tantos? —Curioseo.

—Todo el mundo tiene una forma diferente de enfrentarse a la mierda que la vida les arroja. Esta fue la mía.

—¿Qué clase de mierda?

Pasha me mira y coloca la punta de su dedo en la comisura de mis labios.

—Abandono. Baja autoestima. Soledad —responde, y luego aparta la mirada—. Humillación. Hambre.

Parpadeo confundida. Es evidente que tiene dinero. Su reloj cuesta al menos veinte grandes.

—No siempre fue así para mí —comenta, adivinando mis pensamientos. Me mira de nuevo y me pasa el dedo por la ceja—. Me dejaron en la puerta de una iglesia cuando tenía tres años. El primer recuerdo que tengo es el de una mujer que me llevó por los escalones hasta una gran puerta de madera color marrón y me dijo que me quedara allí. Luego se fue. Probablemente era mi madre, aunque no estoy seguro. No recuerdo cómo era. No recuerdo nada anterior a esos cinco escalones de piedra y la puerta marrón.

Deslizo mi mano por su pecho y examino el diseño de su pectoral izquierdo. Muestra una puerta doble oscura. Unas gruesas enredaderas negras la rodean varias veces, como si quisieran mantenerla cerrada. Los detalles son asombrosos; las imágenes tienen casi calidad fotográfica.

—¿Tú lo hiciste? —Señalo el diseño.

—Sí, así como casi todos los demás. Excepto los de mi espalda y otros lugares que no pude alcanzar.

—¿Puedo verlos?

Voltea para darme la espalda. Más cráneos. Serpientes. Mucho rojo. Arañas. Algunas extrañas criaturas con alas. El estilo es similar al de las de la parte de enfrente y brazos, pero no se ven tan bien como las que hizo él mismo.

—Me los hizo un compañero de la cárcel —añade y vuelve a voltearse para verme.

Levanto la cabeza y lo miro fijamente.

—¿Estuviste en la cárcel?

—Un par de veces.

—¿Por qué?

—La policía solía hacer redadas frecuentes en los clubes donde se organizaban las peleas clandestinas. Los cargos iban desde alterar el orden público hasta agresión. Estuve cuatro meses por esto último.

—Pero eres tan centrado. Hasta organizas tus camisetas por colores.

Me sonríe.

—Organizo todo por colores, *Mishka.*

Estiro la mano y le rozo un lado de la cara con la punta del dedo. Un hombre de aspecto tan duro. Sí, las apariencias engañan, porque su áspero exterior esconde un alma increíblemente bella. ¿Cómo puede alguien que vivió las cosas que él experimentó tener un corazón tan grande como el suyo? ¿Será tan grande como para incluirme a mí también? Me inclino hacia delante y lo beso. En el momento en que nuestros labios se tocan, mi alma empieza a cantar.

Desde que tengo uso de razón, asocio la música con un sentimiento de alegría. Cuando me sentía triste o asustada, tocaba el piano que Arturo me compró. A veces, tocaba durante horas hasta que la tristeza o el miedo eran sustituidos por alegría. Ahora parece que mi relación con la música se ha transformado. Ya no necesito tocar para sentirme mejor. Solo necesito estar cerca de él, de mi *Pasha,* y la melodía me llena.

—¿Cuántos años tenías cuando empezaste a pelear? —inquiero.

—Dieciocho.

—¿Eras bueno?

Pasha se ríe sobre mis labios.

—Al principio no. Los primeros meses me dieron una tremenda paliza.

—¿Pero seguiste haciéndolo?

—La paga era buena. Y a medida que mejoré, gané grandes cantidades. Así que practicaba todos los días y me aseguraba de ser el mejor de todos.

—¿Así que todo era por el dinero?

—Al principio, sí —replica mientras traza mi barbilla con su dedo—, pero había algo... *primitivo* que surgía dentro de mí cuando escuchaba a la gente animarme y gritar mi nombre. En cierto modo, me volví adicto a ello. Era muy satisfactorio. Al menos durante un tiempo. Tenía veintitrés años cuando me uní a la *Bratva*. No puedo creer que hayan pasado más de diez años.

—Así que pasaste de un cuadrilátero de combate a un club de lujo. Es un gran cambio.

—Empecé como soldado. A veces haciendo encargos, aunque la mayoría de las veces me enviaban a cobrar deudas. Ni siquiera había empuñado un arma en aquel entonces, así que Yuri tuvo que enseñarme a disparar antes de que me dieran encargos más serios.

—¿Te gusta? ¿Dirigir un club nocturno?

—En realidad, dos clubes. Estoy en Ural la mayor parte del tiempo. Es el más grande. El segundo club, Baykal, sirve principalmente para lavar dinero. Pero sí, me gusta.

Apoyo la cabeza en su pecho y acaricio la piel tatuada de su estómago.

—Nunca he ido a un club. La *Familia* de New York no está involucrada en el negocio del entretenimiento, así que Arturo únicamente nos dejaba a mí y a Sienna ir a bares que pertenecieran a alguien de la *Cosa Nostra*. E incluso eso era muy poco frecuente.

—¿Por qué?

—Tenía miedo de que nos pasara algo. Sienna siempre se quejaba de lo paranoico que era. Supongo que tenía razón en estarlo.

Pasha me sujeta con más fuerza y me acaricia la espalda.

—¿Qué se siente? —Su voz es suave, casi como una reverencia.

—¿Qué?

—Tener una familia. Alguien que se quedará contigo, pase lo que pase. Incluso si cometes un error. Incluso cuando estás enojado. Alguien que estará de tu lado incluso cuando sepa que estás equivocado. ¿Tener a alguien que sea… tuyo?

La mirada en sus ojos… No puedo describirla. Anhelo. Hambre. Y tanta tristeza.

—Es como una calidez —susurro.

—¿Calidez?

—Sí. Cuando te encuentras en una tormenta helada y violenta, son las personas que harán lo que sea para que no pases frío. Te rodearán con sus brazos, te protegerán, te envolverán en su propio calor mientras el viento helado golpea sus espaldas.

—¿Tu familia es así?

—A veces, Sienna y Arturo son difíciles de manejar. Los tres tenemos personalidades muy diferentes. Pero sí. Los dos son así.

—¿Me puedes hablar de ellos?

—Sienna es… una fuerza de la naturaleza. Es ruidosa. Extrovertida. Un momento se ríe a carcajadas y al siguiente está llorando desconsoladamente. —Una sonrisa nostálgica se dibuja en mis labios—. A Sienna le encanta fingir que es superficial. Publica montones de fotos en las redes sociales, usando ropa ridícula que suele hacer que la gente piense que está un poco chiflada. A veces, les da la impresión de que no es muy inteligente.

—¿Por qué?

—No tengo la menor idea. —Estiro la mano y trazo la línea de su ceja con el dedo—. Mi hermana es la persona más inteligente que conozco, pero en vez de hacer algo con su asombrosa mente, simplemente… se entretiene con tonterías. Lo único que realmente le interesa es escribir.

—¿Qué escribe?

—Nunca me lo ha mostrado. —Sonrío—. Pero le eché un vistazo a algunos de sus cuadernos cuando éramos más jóvenes. Estaban escondidos en una caja debajo de su cama. Escribe novelas de romance.

—¿Novelas de romance? —*Pasha* levanta una ceja—. ¿Es buena?

—Sí. Muy buena. Sienna tiene un don para las palabras. Además de inglés e italiano, puede hablar otros cuatro idiomas. Y los aprendió por capricho.

—Creo que nunca escuché de alguien que aprendiera un idioma por capricho.

—Mi hermana aprendió japonés básico en un mes, ella sola, porque un chico de la escuela le dijo estúpida. —Me río—. Ella tenía catorce años en aquel entonces.

Pasha sonríe, pero sus ojos permanecen tristes.

—Es todo un talento. A la mayoría de la gente le costaría mucho aprender y hablar otro idioma, por no hablar de cinco. No me gusta hablar ruso. Lo entiendo perfectamente, pero casi nunca lo hablo.

—Me di cuenta. —Me inclino hacia delante y aprieto mis labios contra los suyos—. ¿Por qué?

—Porque tengo un acento inglés si lo hago. Ninguno de los niños de los hogares temporales o de las escuelas hablaba ruso, así que durante ese tiempo yo… lo olvidé, supongo. —Me pellizca el labio—. ¿Qué hay de tu hermano?

—Arturo es como todos los hermanos mayores. Solo que cien veces peor.

—¿Protector?

—Hasta el punto de volverme loca. Tenía veinte años cuando murieron nuestros padres, así que asumió ese papel.

—¿No tuvieron otros familiares?

—Teníamos una tía. La media hermana de papá. Se ofreció a llevarnos a Sienna y a mí a vivir con ella. Arturo dijo que no. —Sacudo la cabeza—. Estoy preocupada por él. Creo que algo cambió en su cabeza cuando mataron a nuestros padres y centró toda su atención, aparte de su trabajo, en nosotras dos. Tiene treinta y tres años, pero nunca ha llevado a una mujer a nuestra casa. Sé que tuvo varias relaciones; incluso conocimos a algunas de sus novias. Sin embargo, ninguna de ellas ha puesto un pie en nuestra casa. Creo que se concentró tanto en criarnos que en realidad olvidó que no es nuestro padre.

—¿Por qué no quieres llamarlo? Es obvio que te quiere.

—Porque yo también lo quiero —susurro—. Al principio, pensé que no sería capaz de superar lo que me pasó. Así que no quise llamarlo.

—¿Y ahora?

—Ahora, no quiero hacerlo porque sé cuánto le dolerá si se entera de la verdad. Arturo lo sabrá, aunque no se lo cuente todo. Se culpará a sí mismo. No puedo permitirlo. Ya tiene bastantes problemas y me ha protegido de bastantes tormentas en mi vida. —Mientras digo esto, algo más me viene a la mente—. Había una chica. En casa de Dolly. Creo que era rusa. La trajeron un mes después de que me secuestraran, pero desapareció unos días antes de que yo escapara.

Su mano se detiene en mi espalda.

—¿Recuerdas su nombre?

—Rada, o algo así. No estoy segura. ¿Por qué?

—¿Podría haber sido Ruslana?

Levanto rápidamente la cabeza.

—Sí. Era Ruslana. ¿La conoces?

—Era la hija de uno de los soldados de la *Bratva.*

—¿Era?

—Encontraron su cadáver más o menos al mismo tiempo que tú escapaste. Uno o dos días antes, creo.

Me estremezco y entierro mi cara en el pliegue de su cuello. No podía ser más de un año o dos mayor que yo.

—¿Estarás en problemas por no haber ido al club esta noche? —indago, intentando no pensar en la chica con la trenza larga y rubia y en cómo fácilmente podría haber sido yo.

—Iré mañana.

—¿Puedo ir contigo? —pregunto.

Me besa en la cabeza.

—Claro que sí.

Capítulo dieciséis

Al salir del ascensor escucho los suaves acordes de una delicada melodía. Me acerco a la puerta de mi apartamento y saco mis llaves del bolsillo. Últimamente finjo que olvidé mis llaves para poder tocar el timbre y escuchar los pasos apresurados de Asya cuando corre hacia la puerta para dejarme entrar. Cuando la abre, es como si me extrañara, a pesar de que solo me fui por poco tiempo. Es agradable volver a casa y saber que me está esperando. Así que sigo fingiendo que olvido mis llaves y toco el timbre cada vez.

Sin embargo, no quiero distraerla de lo que toca hoy. Abro la cerradura y entro. Asya está sentada frente al piano, con su teléfono en el pequeño soporte sobre las teclas. Probablemente encontró nuevas partituras en Internet y las descargó. Debería comprarle partituras de verdad. No puede ser fácil seguir la música en esa pequeña pantalla. Intento no hacer ningún ruido, dejo las bolsas del supermercado junto a la puerta y entro en la sala. Apoyo mi hombro en el librero de la derecha y la observo.

Tiene el cabello suelto y se balancea de izquierda a derecha cuando mueve la cabeza al ritmo de la melodía. No puedo ver su rostro desde mi lugar, pero estoy seguro de que está sonriendo.

Algo me oprime el pecho. ¿Se llevará el piano cuando se vaya? Porque se irá, en algún momento. No me haré ilusiones creyendo que querrá quedarse conmigo cuando tiene una casa, una familia, probablemente un montón de amigos y planes para asistir a un conservatorio de música. Puede que su vida se haya quedado en pausa por lo que le pasó, pero se recuperará. He visto su fuerza y determinación. Su valor. Todas esas cosas que la hacen ser ella, las mismas que hicieron que me enamorara perdidamente de ella, también me la arrebatarán.

Tenemos que irnos pronto al club si queremos llegar antes de que abran y evitar a la multitud, pero no me atrevo a pedirle que pare. La melodía se transforma cuando ella cambia a mi favorita, *Moonlight Sonata*. No sé por qué es la que más me gusta. Quizá sea por haber sido la primera vez que la escuché tocar. Incluso la puse como timbre de llamada en mi teléfono. Me agarro la nuca con frustración. Espero que se lleve el piano cuando se vaya. Porque si no, lo destrozaré hasta que no quede nada de él.

—Si te sientes incómoda, aunque sea un poco, házmelo saber y nos iremos. ¿De acuerdo?

Asiento con la cabeza y aprieto la mano de *Pasha*.

Mientras caminamos hacia la entrada del club, miro hacia

el cielo oscuro, buscando los pequeños copos blancos. La temperatura ha bajado mucho y el aire se siente fresco. Se ha apoderado de mis sentidos desde el momento en que salimos de su edificio, junto con el pánico que ha estado aumentando en mi pecho. Casi le pedí a *Pasha* volver a su casa, temiendo que empezara a nevar. Pensé que estaba mejorando. En cierto modo, lo estaba. No obstante, la idea de ver el suelo cubierto de escarcha hace que mi corazón lata al doble de su ritmo normal.

Un hombre parado en la entrada nos abre la puerta cuando nos acercamos. Tiene un abrigo negro desabrochado que deja entrever un traje negro debajo. Agarro con fuerza la mano de *Pasha* y me decido a ofrecerle una pequeña sonrisa al portero cuando entramos.

Pasha me guía por la espaciosa zona decorada en tonos negros y grises. Unas mesas altas rodean una pista de baile actualmente vacía. A lo largo de la pared, una plataforma elevada alberga varias butacas grandes con lujosos asientos de cuero. El espacio está completamente vacío, salvo por una chica que está limpiando una de las butacas, lo que hace que el sonido de nuestros pasos resuene en las paredes.

Finalmente llegamos al lado opuesto de la planta y subimos por la escalera al piso superior. Este espacio ha sido diseñado como una especie de galería. La pared de cristal que va del suelo al techo se asoma sobre la pista de baile, dejando al descubierto todo el interior del club a cualquiera que se encuentre aquí arriba. Entramos a una sala donde un hombre de unos cuarenta años está sentado frente a un conjunto de monitores que muestran varios ángulos de cámara de distintas zonas del club. *Pasha* asiente al hombre y se dirige hacia otra puerta a la derecha.

Al entrar, veo a un hombre rubio de unos veinte años

sentado detrás de un escritorio lleno de papeles. Murmura algo entre dientes mientras mira la pantalla de la computadora que tiene enfrente. Su cabello largo está despeinado, aunque no oculta que es muy guapo. Hace unos meses, si lo hubiera visto, me habría ruborizado. Pero eso fue antes de conocer a *Pasha*. Puede que este tipo sea atractivo, sin embargo, su aspecto no tiene ningún impacto en mí.

—Veo que por fin decidiste arrastrar tu trasero hasta aquí —refunfuña el hombre, luego levanta la vista del monitor, sus ojos se centran en mí y se agrandan de forma imposible.

—Kostya, esta es Asya —indica *Pasha* y me lleva alrededor del escritorio hasta que estamos de pie frente a su amigo—. ¿Dónde están los contratos que necesitan mi firma?

La mirada de Kostya se dirige a mi mano entrelazada con la de *Pasha* antes de volver a dirigirse a mi cara. Sus cejas se disparan hasta el nacimiento de su cabello.

—¡Mírame a mí, Konstantin! —brama *Pasha*.

—¡Joder, hombre! —Kostya se estremece—. No hagas eso. Solo mi *babushka* me llama por mi nombre completo, y generalmente lo hace cuando hago algo mal.

—Contratos. Ahora.

—¿Qué demonios te pasa? ¿Cambiaste tu maldita personalidad junto con tu guardarropa? Por Dios. —Saca un paquete de papeles del cajón y los arroja sobre el escritorio frente a *Pasha*—. Toma.

Pasha empieza a firmar los contratos, pero su mano izquierda sigue agarrada a la mía durante todo el tiempo. Hoy está usando *jeans* y un suéter negro. Intenté convencerlo de que se pusiera un traje, pero se negó.

Kostya finge estar ocupado con algo en el monitor de la

computadora, no obstante, noto que me lanza una mirada rápida de vez en cuando.

Cuando *Pasha* termina de firmar, empuja los papeles hacia el centro del escritorio y se endereza.

—¿Eso es todo?

—*Síp.*

Pasha asiente con la cabeza y se dirige hacia la salida. Me despido de su amigo con un movimiento de mano y lo sigo. Estamos en el umbral cuando Kostya grita:

—¡*Oh, Pasha*! Puede que quieras visitar el viejo almacén más tarde.

—¿Para qué?

—Capturamos a uno de los hombres de Julian. Bekim. Mikhail lo va a interrogar.

El cuerpo de *Pasha* se tensa. Gira lentamente y mira a su amigo.

—Llama a Mikhail. Dile que puede quedarse en casa con su familia esta noche.

—¿Qué? Entonces ¿quién va a tener esa charla con el tipo?

Pasha me mira.

—Yo lo haré.

Pavel

Cuando entro al almacén, Kostya ya está allí, apoyado contra la pared y jugando con su teléfono. En la esquina opuesta, con la cara hacia el suelo, yace un hombre de unos treinta años. Sus piernas están atadas con cinta adhesiva plateada alrededor de los tobillos y las rodillas. Tiene las manos amarradas a la espalda. Un trapo sucio sobresale de su boca.

Incluso después de todos estos años, todavía flota en el aire un ligero olor a madera quemada. Este es uno de los almacenes que los italianos intentaron quemar antes de firmar la tregua. El sótano de la mansión del *Pakhan* ha estado fuera de servicio desde entonces… a su mujer no le gusta el olor a sangre en su casa, así que decidimos dejar este almacén como está y realizar aquí nuestros interrogatorios.

Miro al soldado que está a unos pasos de "nuestro invitado" y señalo con la cabeza hacia la salida.

—Vete. Te llamaré cuando haya terminado.

El hombre asiente y sale.

No pierdo el tiempo y agarro al hombre de Julian por detrás de la chaqueta, arrastrándolo lejos de la pared para permitirme más espacio. Se queja y empieza a retorcerse, luego gime cuando dejo que su cuerpo caiga de nuevo al suelo. Apoyo un pie en su espalda y le rodeo el pulgar con la mano. El sonido de los huesos rompiéndose va seguido de un gemido ahogado y de dolor. Aprieto el pie con más fuerza y agarro el siguiente dedo.

—Tienes que pedirle a Mikhail que te dé un curso rápido sobre tortura —señala Kostya desde su lugar junto a la pared—. La regla es: primero haz preguntas. Luego empieza a romper huesos.

Otro crujido.

—Nuestros métodos difieren —expreso mientras continúo.

Una vez que le rompí los diez dedos, dejo al hombre llorando en el suelo y tomo un cuchillo de la mesa más cercana. Vuelvo a pisarle la espalda y le corto la cinta que le ata las muñecas. El hombre se sacude tratando de zafarse. Le agarro el antebrazo derecho y la mano de la misma extremidad, luego retuerzo en direcciones opuestas. El hombre grita contra el trapo mientras se rompe su muñeca. Repito la acción con el otro apéndice.

Considero la posibilidad de romperle los tobillos, pero decido que no quiero arriesgarme a que se desmaye. Muevo el pie a su lado, empujo su cuerpo hasta que queda boca arriba y le arranco el trapo de la boca.

—¿Dushku está distribuyendo la droga nueva? —pregunto.

—No. —Se atraganta el hombre—. Es Julian. Su yerno.

—¿Julian también está involucrado en la red de prostitución de lujo?

—Sí. Él la dirige.

—¿Dushku lo sabe?

Sacude la cabeza y gimotea. Coloco la suela de mi zapato sobre los dedos rotos de su mano derecha y hago presión al pisar.

—¡No lo sabe! ¡Todo es obra de Julian y algunos de sus amigos de la universidad!

—¿Qué sabes de la chica rusa que encontraron muerta hace unos meses? Tenía tu droga en su organismo.

—Fue un accidente —solloza—. Un cliente fue demasiado brusco y ella murió. Tuvimos que deshacernos del cuerpo, y asegurarnos de que no estuviera vinculada a nosotros a través de las drogas que usamos. Así que la llenamos de heroína.

Le aprieto la garganta con el talón, disfrutando del sonido ahogado que sale de su boca.

—Le darás a mi amigo aquí presente los nombres y

direcciones de todos los que están involucrados en este asunto. Incluyendo a los clientes. Incluso hasta el puto conserje. Asegúrate de darle también los detalles de la mujer a cargo de las chicas, Dolly. Y la dirección de donde las tienen. —Asiente con la cabeza—. También necesito los nombres de los hombres que secuestran a las chicas.

—Robert se encarga de eso —chilla cuando aflojo un poco el pie.

Robert. El hijo de puta usa su verdadero nombre cuando engaña a las chicas.

—¿Americano? —indago.

—Sí. Trabaja para nosotros desde hace tres años. Julian lo reclutó.

—Apellido y dirección.

Me da la información y la memorizo.

—Kostya —llamo—. Nuestro invitado está listo para hablar. Ven aquí a tomar notas e informa a Maxim de todo lo que te diga.

Lanzo una última mirada al hombre que está en el suelo.

—Si por casualidad olvidas un nombre, volveré y terminaré lo que empecé. Y me aseguraré de que sigas vivo y consciente hasta que acabe por completo.

Al salir del almacén, llamo a Asya para avisarle que no volveré hasta dentro de un par de horas. Dentro del auto, introduzco la dirección que Bekim me dio en el sistema de navegación.

Parece que tendré otra charla esta noche.

Capítulo diecisiete

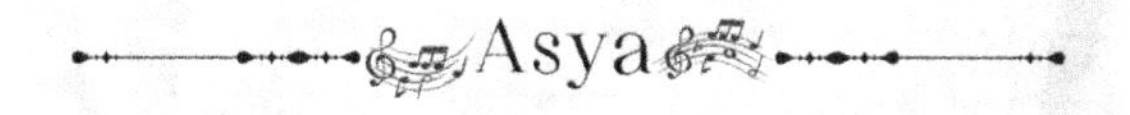

Asya

Me despierto al sentir unos dedos que recorren mi cabello. *Pasha* está tumbado en la cama a mi lado, todavía con la misma ropa que llevaba puesta la noche anterior.

—¿Cuándo volviste? —inquiero.

—Hace cinco minutos —pronuncia y sigue acariciándome el cabello—. Tengo que enseñarte una foto de alguien.

—Está bien. —Asiento con la cabeza. Ya me había mostrado fotos de más de una docena de hombres el otro día, preguntándome si identificaba alguno, pero ninguno me resultaba conocido.

Pasha suelta mi cabello y se estira detrás de él para tomar su teléfono de la mesita de noche. Tomo el receptor cuando me lo acerca y miro la pantalla. La imagen es la de un hombre suspendido boca abajo del techo. No distingo mucho su cara, así que amplío la imagen. El aparato casi se me resbala de las manos.

—¿Es él? ¿El que te secuestró? —pregunta *Pasha*. Su voz es tensa, como si hablara apretando los dientes.

Me trago la bilis que de repente me sube por la garganta.

—Sí.

Pasha asiente y me quita el teléfono de la mano. Me agarra la barbilla con los dedos y me levanta la cabeza hasta que nuestras miradas se encuentran.

—Tenemos todos los nombres. A todos los que estuvieron involucrados. La *Bratva* se encargará del resto de su organización, pero le dije al *Pakhan* que este es mío. —Se inclina hacia delante y presiona su frente contra la mía—. Dijiste que querías ver.

—¿Qué?

—A él, muriendo. Lentamente. Mientras lo corto en pedacitos.

Observo sus ojos grises mientras me devuelven la mirada y tomo su cara entre mis manos.

—Sí.

Pasha asiente.

—Voy a ducharme y a cambiarme. Y luego nos iremos.

Son dos horas de viaje al oeste de la ciudad hasta una casa destartalada que no es mucho más que un cobertizo. *Pasha* estaciona el auto y voltea hacia mí, tomando mi mano entre las suyas.

—Si cambiaste de opinión, te llevaré de vuelta —asegura—. Está bien si no puedes soportar volver a ver a ese hijo de puta. Volveré esta noche y me ocuparé de él.

Miro la casa a través del parabrisas. El hombre que destruyó mi vida y destrozó mi mente está al otro lado de esa puerta de madera. El pánico empezó a crecer en cuanto vi su imagen en el teléfono de *Pasha* y se multiplicó por diez durante el trayecto hasta aquí. La idea de verlo otra vez me enferma, sin embargo, necesito esto. Necesito venganza. Tal vez verlo morir me ayude a recuperarme.

—Estoy lista —declaro.

Lo primero que noto cuando *Pasha* abre la puerta de la casa es el hedor, una mezcla de vómito y orina. Es tan asqueroso que apenas consigo no vomitar inmediatamente el contenido de mi estómago. El interior está oscuro. Las ventanas están cubiertas con cortinas deshilachadas o tablas clavadas, y la única fuente de luz es el sol que entra por la puerta abierta. Sigo a *Pasha* mientras da dos pasos a la izquierda, apretando su mano con todas mis fuerzas. Se escucha un clic cuando enciende la luz. Es un sonido leve, apenas audible, pero en mi cabeza resuena como una explosión. Quiero darme la vuelta y mirar a ese imbécil a la cara, mas no me atrevo a moverme.

—Está bien, *Mishka.* —*Pasha* me abraza y aprieta mi cara contra su pecho—. Ya no puede hacerte daño. Y me aseguraré de que no lastime a otra persona, *nunca más.*

Inhalo profundamente, saboreando el aroma de *Pasha.* Es la fragancia de la seguridad. Y del amor. Sería tan fácil pedirle que mate a ese imbécil por mí. Pero en el fondo, sé que necesito tocar esta melodía yo misma.

—¿Tienes un arma? —murmuro contra el pecho de *Pasha* y siento cómo se queda completamente quieto.

—Sí.

—¿Me la das? Por favor.

Su agarre en mí se afloja, y sus manos viajan por mis brazos hasta llegar a mi cara.

—No tienes que hacer esto. Me aseguraré de que sufra.

Levanto la mano y acaricio su mejilla. Mi *Pasha*. Siempre dispuesto a pelear mis batallas por mí.

—Por favor.

Cierra los ojos un segundo, mete la mano en su chaqueta y saca una pistola.

—¿Sabes disparar?

—No.

—De acuerdo. Sujétala así. —Coloca el arma en mi mano y mueve mis dedos a la posición correcta—. El seguro está puesto. Cuando estés lista, lo quitas. Así. Tienes que sujetar el arma con fuerza. Esta tiene un poco de retroceso.

Miro fijamente la pistola. Es pesada. Mucho más de lo que esperaba. Trago saliva y volteo para mirar al hombre que arruinó mi vida.

Sigue en la misma posición que en la foto. Tiene los pies atados a la viga y los brazos colgando. Sin embargo, algo les pasa. Cuelgan en un ángulo antinatural. Me cuesta creer que sea el mismo hombre que conocí en el bar. Su ropa sucia está desgarrada en varios lugares. Tiene sangre seca por las partes descubiertas del cuerpo, manchando su camisa y el suelo. Sus ojos están cerrados y un lado de su cara está hinchada. No se mueve. Podría pensar que ya está muerto, pero veo que su pecho sube y baja.

He imaginado este momento tantas veces. Soñé con hacerle pagar cada maldito segundo de mi dolor. Pensé que si alguna vez tenía la oportunidad de vengarme, querría que sufriera tanto como yo. Pero ahora, viéndolo así, simplemente quiero que todo termine.

Recorro la distancia que nos separa con pasos rápidos hasta situarme frente a él. Su cabeza está a la altura de mi pecho, y el olor nauseabundo es aún peor de cerca.

—Espero que ardas en el infierno —declaro ahogadamente y escupo en su cara. Robert abre los ojos y se encuentra con los míos. Quito el seguro y presiono el cañón contra el puente de su nariz.

Y aprieto el gatillo.

Pavel

Un fuerte estruendo recorre la habitación.

Rodeo a Asya por la cintura con el brazo izquierdo y la aparto para que el cadáver no la golpee cuando se balancee hacia delante. Creo que ni siquiera se dio cuenta de que estaba detrás de ella. Le quito la pistola de la mano, le pongo el seguro y la cargo fuera de la casa.

Cuando llegamos al coche, lanzo la pistola al asiento trasero y bajo a Asya al suelo, volteándola hacia mí. Su mano y la manga de su abrigo amarillo están cubiertas de salpicaduras de sangre. Le desabrocho y le quito el abrigo, arrojándolo también al asiento trasero. Luego me quito mi propia chaqueta, consigo meter los brazos de Asya en las mangas y la envuelvo en su calidez. No dice nada mientras la visto. Sus ojos parecen vacíos mientras mira fijamente hacia delante. Creo que ni siquiera me ve.

No debería haberla dejado hacer esto. Cuando tomó la pistola y se dirigió hacia el hijo de puta, estaba seguro de que cambiaría de opinión. Creo que el sonido de un disparo nunca me había alterado tanto.

—*Mishka* —digo mientras limpio la sangre de su mano con la parte delantera de mi sudadera—. Por favor, di algo.

Asya simplemente parpadea. Su mirada sigue perdida.

Un pequeño copo blanco aterriza en su mejilla. Le sigue otro. Miro al cielo. Está nevando. Agarro rápidamente la capucha de la chaqueta y se la pongo por encima de la cabeza.

—Vamos a casa, nena.

Para cuando estaciono el vehículo frente a mi edificio, la nieve ligera se ha convertido en una auténtica nevada. Asya se pasó las dos horas de camino acurrucada en el asiento del pasajero con su cara pegada a mi hombro.

—Ya llegamos —señalo. Asiente y se endereza, pero mantiene los ojos cerrados. Salgo del vehículo y camino por delante. Sin embargo, cuando abro la puerta del pasajero, Asya no se mueve—. Vamos adentro. —Me agacho y la tomo en brazos.

El viento me golpea en la cara y me cae nieve en los ojos mientras la cargo hacia la entrada del edificio. El estacionamiento está apenas a unos doce metros, pero cuando llegamos a la puerta, ambos estamos cubiertos de nieve.

En cuanto entramos al apartamento, bajo a Asya y le quito la chaqueta. Después me deshago de mi sudadera. Es negra, como la chaqueta, y la nieve aún no se ha derretido. Arrojo la sudadera detrás de mí y me agacho para desatarle las botas. Tengo que llamarle otra vez a la amiga psicóloga del Doc y preguntarle qué hacer. No puedo decirle que dejé que Asya matara a un hombre, pero necesito algún tipo de consejo. ¿Y si tiene una regresión? Su silencio me está volviendo loco.

Mientras desato la otra bota de Asya, siento sus manos en mi cabello. Levanto despacio la vista y la veo observándome con una mirada extraña.

—Nunca debí darte esa pistola —susurro—. Lo siento mucho, nena.

Asya ladea la cabeza y desliza las manos por mi cuello hasta el centro de mi espalda. Agarra un puñado de tela con sus dedos, me quita la camiseta por encima de la cabeza y empieza a desabrocharse su blusa. La observo mientras se quita la prenda y el sostén, para comenzar a retirarse los *jeans*. Sigo agachado frente a ella cuando empuja la ropa a un lado y se queda desnuda frente a mí.

Toma mi mano entre las suyas, me levanta y desabrocha mis *jeans*. No puedo apartar mi mirada de ella mientras me quita los zapatos y el resto de la ropa, dejándonos a ambos desnudos el uno frente al otro.

—¿Asya, nena? —Cuando estiro la mano para acariciarle la cara, salta sobre mí. Apenas alcanzo a atraparla a tiempo y consigo agarrarla por debajo de los muslos. Me rodea el cuello con los brazos, envuelve mi cintura con sus piernas e inclina la cabeza hasta que sus labios tocan mi oreja.

—¿Sí, *Pashenka*? —musita.

Jadeo. Nadie me había llamado nunca así. El *Pakhan* y algunos otros usan mi nombre completo, pero el resto me llama *Pasha*, la forma abreviada de Pavel en ruso. Pero nadie ha utilizado nunca un nombre en diminutivo. En Rusia, suelen reservarse para los familiares más cercanos y los cónyuges.

—¿Cómo conoces ese apodo de cariño? —pregunto.

—Encontré una página web sobre nombres rusos

—replica y me da un beso en un costado del cuello—. Mencionaba que es un nombre muy personal y afectuoso, y que es mejor pedir permiso antes de usarlo. —Recorre con su boca hasta un lado de mi mandíbula—. ¿Me das permiso de usarlo?

—Sí —afirmo.

Sus labios se acercan a los míos y se quedan a un suspiro.

—Quiero que me folles, *Pashenka.*

Mi polla se hincha al escucharla. Aprieto sus muslos y me doy la vuelta, clavándola contra la puerta principal. Puedo sentir su coño goteando contra mis abdominales, y me cuesta muchísimo contenerme para no enterrarle mi miembro adentro. Asya me muerde el labio inferior y pierdo el control. La coloco encima de mi longitud dura como una roca y comienzo a bajarla, inhalando su respiración entrecortada mientras la lleno. Gime contra mis labios y me agarra fuertemente el cabello cuando la saco.

—Más fuerte. —Su suave suspiro se transforma en un grito cuando vuelvo a penetrarla.

Mientras la penetro, noto su calor y me siento como en casa. Creo que no sabía lo que significaba esa frase antes de conocer a Asya. Pero esto… su cuerpo contra el mío, sus manos en mi cabello y sus labios presionando los míos… por fin me hace sentir como en casa. Ella es mi hogar. Apretando sus muslos, embisto con fuerza, queriendo imprimirme en ella. Marcarla como mía de alguna manera.

—Más fuerte —gime y hunde sus dientes en mi hombro.

Hace mucho que perdí la capacidad de pensar racionalmente. Por puro instinto, me doy la vuelta y la cargo por la habitación hasta la mesa del comedor. Ignorando los montones ordenados de documentos financieros sobre los que trabajé ayer y que ahora cubren la mesa, bajo a Asya directamente sobre uno de los contratos. Está tan mojada que el papel bajo su trasero se empapa al instante.

—Recuéstate, nena. —La agarro por detrás de las rodillas y la atraigo hacia mí, colocando sus pies en el borde de la mesa. Me mira a través de sus piernas abiertas, una pequeña sonrisa ilumina su rostro.

—Estoy esperando —indica.

Sonrío y me acerco un paso, dejando que únicamente la punta de mi polla encuentre su hogar, y presiono mi pulgar sobre su clítoris. Ella jadea. Froto su clítoris con pequeños círculos, provocándola, y luego voy introduciéndola poco a poco mientras aumento la presión con el pulgar. Antes de que esté completamente dentro, su cuerpo empieza a temblar. Me duele la polla de lo dura que está, pero sigo moviéndola lentamente, observando cómo su cuerpo se arquea sobre la mesa y deleitándome con cada sonido de placer que emite. Tras un último movimiento circular sobre su clítoris, le agarro los tobillos y enderezo lentamente sus piernas hasta formar una perfecta V. La penetro con fuerza, cerrando y abriendo sus piernas con cada embestida y cada retroceso.

—¡Más fuerte! —grita.

Apoyo sus pantorrillas en mis hombros, junto sus rodillas y vuelvo a penetrarla. Se viene y grita de placer mientras su cuerpo se estremece. Noto los espasmos de su coño alrededor de mi polla y siento como si una descarga eléctrica me corriera por la espalda. Rujo y exploto dentro de ella.

Acaricio el cabello de Asya y luego recorro su espalda con mi mano. Lleva dos horas durmiendo encima de mí. Yo también debería intentar dormir un poco. Pasé la noche anterior cazando y, una vez que lo atrapé, dándole una paliza al hijo de puta que le hizo daño a mi chica. Sin embargo, no puedo dormir. Sigo pensando en Asya cuando apretó el gatillo.

Se siente como si una cuenta regresiva hubiera comenzado con esa bala. El hombre que destrozó su vida está muerto. Roman me aseguró que se encargarían del resto de la organización, así que estoy seguro de que mañana a esta hora todos estarán muertos.

Miro hacia abajo y veo la cara de Asya apoyada en el centro de mi pecho. Normalmente se mueve sin parar mientras duerme, pero no ha movido ni un músculo desde que se quedó dormida hace rato. Jalo la sábana que está a la altura de sus caderas y la cubro por completo.

¿Cuánto tiempo nos queda? Estas últimas semanas ha mejorado mucho y ya casi nunca tengo que ayudarla a tomar decisiones. Los hombres con traje siguen incomodándola, aunque también ha avanzado mucho en ese aspecto. Las pesadillas han cesado, y lo único que sigue perturbándola es la nieve. Joder, estoy tan orgulloso de ella.

Por muy bueno que sea su progreso, alimenta el pánico absoluto que crece dentro de mí. ¿Será hoy el día en el que me diga que es tiempo de que se vaya? ¿O será mañana? Hace semanas que dejé de insistirle para que se pusiera en contacto con su hermano. Me convencí a mí mismo de que lo hice para darle el tiempo y el espacio necesarios para sanar, pero me he estado mintiendo a mí mismo. Lo hice porque quiero que se quede. *Para siempre.*

Mientras observo cómo duerme, su presencia disminuye el vacío que tengo en el pecho, pero en mi mente retumba el tictac de un reloj. Contando los días, o tal vez meras horas, que me quedan con ella.

Tictac.

Tictac.

Capítulo dieciocho

—¿Estás segura, Asya? —inquiero mientras mantengo la puerta del auto abierta para ella.

—*Nop*. —Toma mi mano y sale del coche—. Pero tengo que hacerlo de todas formas.

—De acuerdo, nena.

Con la mano de Asya entrelazada a la mía, me dirijo hacia la entrada trasera de Ural. Sigo pensando que no es buena idea venir al club durante las horas en que está abierto al público. No es lo mismo que ir al centro comercial. Aquí habrá más gente en un espacio más reducido, todos apretujados. Y como Ural es un lugar más exclusivo, la mayoría de los clientes vestirán ropa elegante, incluyendo trajes en el caso de los hombres. Sé que ella necesita enfrentarse a sus miedos, pero no me gusta la idea de que se estrese sin motivo. Quiero protegerla de cualquier daño. Sin embargo, Asya lleva dos semanas insistiendo, así que al final cedí.

Dejamos nuestros abrigos en el guardarropa y entramos al área principal. Ya hay más de cien personas en el interior.

Asya me envuelve el antebrazo con su brazo y se apoya en mi costado, pero no titubea mientras rodeamos la pista de baile en dirección a la esquina opuesta, lo que nos acerca a las escaleras que llevan a la planta superior. Ordené al personal que retirara las mesas de ese lugar. Estamos a medio camino de llegar a nuestro destino cuando un hombre me hace señas desde una de las butacas VIP y luego se dirige hacia nosotros. Damian Rossi. El hermano del Don de Chicago. Se abre paso entre la multitud y se reúne con nosotros cerca de la escalera.

—Pavel, te he estado buscando. ¿Cómo se alquila este lugar por una noche? —Sonríe y mira a Asya, ofreciéndole la mano—. Soy Damian.

—Hola —expresa ella en voz baja, pero no hace ademán de estrecharle la mano.

Apenas puedo contener las ganas de mandar al infierno al italiano, aunque Asya parece estar bien. No quiero que piense que dudo de su capacidad para afrontar la situación. Dice que puede manejarlo y, a menos que note algún tipo de incomodidad, no interferiré.

—Únicamente los miembros de la *Bratva* pueden alquilarlo —contesto—. ¿Cuál es la ocasión?

—*Oh*, nada especial. Unos amigos y yo queremos dar una fiesta y estamos buscando un lugar. —Se encoge de hombros, después vuelve a mirar a Asya y su sonrisa aumenta—. ¿Te gustaría asistir, *bellissima*? No escuché tu nombre.

Asya me aprieta el antebrazo.

—¡Márchate, Damian! —exclamo en tono cortante.

—¿Qué? Solo estaba…

Agarro la parte delantera de su camisa y acerco mi cara a la suya.

—Date la vuelta y lárgate. ¡Ahora mismo, carajo! —gruño entre dientes.

Me mira perplejo y levanta las manos.

—Está bien, hombre. No hay por qué reñir, y menos delante de una dama.

Le suelto la camisa y veo cómo vuelve a su mesa.

—¿Quieres irte? —Miro a Asya.

—Estoy bien. —Ella me ofrece una pequeña sonrisa—. Quedémonos un rato.

Cuando llegamos al lugar que quería, me apoyo contra la pared y jalo a Asya para que se coloque entre mis piernas con su espalda pegada a mi pecho. Viste *jeans* y un *top* sencillo sin mangas y de cuello alto. La tela es de lana suave y ligera y tiene el mismo tono marrón que su cabello.

—¿Todo bien? —cuestiono mientras le rodeo la cintura con los brazos.

—Sí.

Nos quedamos en silencio y observamos a la gente durante unos diez minutos. Al principio parece relajada, pero luego se reclina más contra mí. Sus manos cubren las mías apretando mis dedos.

Inclino la cabeza hasta apoyar mi barbilla en su hombro.

—Háblame.

—Estoy bien. Simplemente un poco nerviosa. Hay mucha gente.

—¿Quieres que nos vayamos?

Parece indecisa durante unos instantes, sin embargo, luego niega con la cabeza.

—Todavía no. Es un poco estresante, pero puedo soportarlo. Quiero experimentar esto un poco más.

Aprieto los dientes. No la quiero cerca de nada que la

haga sentir incómoda. Y desde luego no me gusta que se sienta nerviosa. Si quiere quedarse, está bien. Sin embargo, será bajo mis nuevas condiciones. Le doy la vuelta, la agarro por debajo de los muslos y la levanto.

Da un grito de sorpresa y engancha los pies detrás de mi espalda.

—¿*Pasha*?

Me coloco mirando hacia la pared, apoyándola en ella y dejándola ver la pista de baile.

—Ahora puedes seguir mirando lo que quieras —suelto tajante.

Asya arquea las cejas y me sonríe.

—Me gusta más la nueva vista. —Se inclina hacia delante y me besa—. Muchísimo más.

Le muerdo el labio inferior. Asya jadea y aprieta sus piernas a mi alrededor. Mi polla se hincha. Puedo sentir el calor de su coño contra mi longitud, que se endurece aún más cuando me agarra por la nuca y me clava los dientes en la barbilla.

—Quizá podamos irnos a casa después de todo —insinúa contra mi boca—. ¿Qué dices, *Pashenka*?

No respondo, me doy la vuelta y la cargo hacia la salida.

Asya

Casi tropiezo al intentar quitarme los pantalones sin soltar el cuello de *Pasha*. Mis zapatos y mi *top* están en algún lugar de la sala junto con sus *jeans* y su camiseta. No estoy segura, pero creo que nuestras chaquetas podrían estar en el pasillo frente al ascensor. Finalmente me quito los pantalones y camino de espaldas hacia la cama, intentando desabrocharme el sostén con una mano. *Pasha* se quita el bóxer, me agarra por la cintura y nos tira sobre la cama. Acabo tumbada sobre su pecho.

—Quiero que probemos algo —comento y le doy un mordisco en la barbilla—. Lo vi en Internet.

—¿Qué?

—Umm... es una posición. —Sonrío tímida y raspo con los dientes mi labio inferior.

Pasha levanta una ceja.

—¿*Oh*? ¿Algo en particular?

Sus manos se deslizan por mi espalda y aprietan mi trasero. Bajo su toque, cada centímetro de mi piel se siente como si hubiera sido electrocutada por un cable con corriente. Aún me cuesta creer lo mucho que disfruto cuando me toca. Cuando me besa. Cuando me hace el amor. Al principio tenía miedo de asustarme en algún momento, olvidándome de quién es, y sobresaltarme ante sus caricias. La idea de que eso pudiera ocurrir estuvo constantemente presente en mi mente durante un tiempo. Detestaba la posibilidad de herirlo sin querer si reaccionaba mal involuntariamente, haciéndole pensar que había hecho algo malo. Eso ya no me da miedo. Tanto mi cuerpo como mi mente lo reconocen, pase lo que pase. Incluso cuando es brusco. Incluso cuando me empuja contra la pared y me coge por detrás. No hay ni una pizca de miedo. Solamente un placer alucinante.

—Sí. —Sonrío y siento el calor en mis mejillas.

Pasha sube las manos por mi espalda, luego toma mi cara entre sus manos y me da un beso.

—Date la vuelta.

—¿Sabes lo que tengo pensado?

—Por lo roja que tienes la cara, estoy bastante seguro de

que sí. —Me muerde el labio—. Vamos, dame tu hermoso coño.

Me doy la vuelta y me pongo frente a su polla, dejando mi sexo expuesto ante su boca. *Pasha* me agarra las nalgas, acercándome, y mete su cara entre mis piernas. Su lengua rodea mi entrada y luego se desliza en mi interior, haciéndome jadear. Cuando busco su polla, me tiemblan las manos por las sensaciones abrumadoras. Aprieto su dura polla y me meto la punta en la boca. *Pasha* cambia el ritmo, besos y lamidas lentas se vuelven frenéticas y me come el coño como si fuera un postre. La sensación combinada de su lengua en mi centro y su miembro en mi boca no es comparable a nada que haya experimentado antes. Añade sus dedos y luego me pellizca el clítoris, y me corro en toda su cara.

Tardo unos instantes en recuperarme del éxtasis y después lo meto más profundamente en mi garganta mientras él sigue chupando mis jugos. Su respiración es agitada. Me doy cuenta de que está al borde. Aparto lentamente mi boca de su dura longitud y me doy la vuelta para mirarlo. Clavo mi mirada en la de *Pasha*, me coloco sobre su polla erecta y desciendo lentamente, deleitándome al sentir cómo me llena. Su mano se levanta, me agarra por detrás del cuello y permanece allí mientras yo muevo mis caderas y él me mira fijamente a los ojos, sin pestañear. Su respiración agitada sale de sus labios y los músculos de su pecho se tensan bajo mis manos, aunque lo que atrae mi atención es la expresión de su rostro. Tiene la mandíbula tensa y los labios apretados. Parece que quiere decir algo, pero se contiene.

—¿Qué pasa, *Pashenka*? —pregunto mientras levanto mi trasero y vuelvo a bajarlo, jadeando cuando me penetra profundamente.

Me aprieta fuertemente el cuello, mas no dice ni una palabra. Simplemente me penetra desde abajo con tanta fuerza que mi mente se queda en blanco. Al momento siguiente, me encuentro boca arriba con el cuerpo de *Pasha* sobre el mío. Continúa agarrando mi cuello mientras me embiste tan rápido que mi cuerpo tiembla y apenas puedo respirar. Me encanta cuando suelta su severo autocontrol y me folla con toda su fuerza. No hay nada mejor que me coja hasta que nos venimos al mismo tiempo. Me hace sentir fuerte, intrépida y más feliz de lo que jamás he sido. Agarro sus brazos y grito su nombre mientras estalla otro orgasmo.

Capítulo diecinueve

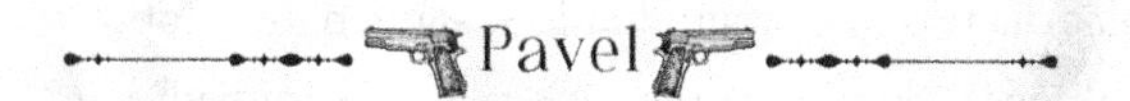

Pavel

Una lenta y emotiva melodía suena en la sala. Abro los ojos y miro al techo. Hace un rato tocó *Für Elise*. Aunque desconozco el nombre de esta melodía en particular, rara vez le pregunto porque prefiero que Asya me lo diga sola. Su música es muy personal para ella, así que el hecho de que comparta algo que siente tan íntimo, sin que yo se lo pida, me conmueve hasta lo más profundo del alma. Al principio, me acostumbré a no pedir cosas en mi vida, y se convirtió en un hábito. ¿Para qué pedir cosas si la respuesta casi siempre va a ser no? Sí, existe la posibilidad de que el resultado sea diferente, pero supongo que prefiero no pedir antes que enfrentarme a la decepción.

En mis primeros años en hogares temporales, siempre hacía las mismas tres preguntas. *¿Llamó mi mamá? ¿Llamó alguien buscándome? ¿Mi mamá va a volver?* La respuesta siempre fue *no*. Luego, las preguntas cambiaron. *¿Tengo más familia? ¿Me elegirá otra familia como a los otros chicos?* Como aquel chico problemático que se peleaba con los otros chicos en una de las casas en las que viví. No recuerdo su nombre. ¿Era Kane? ¿O tal vez Kai? Dos de los otros chicos del orfanato acabaron en la sala de emergencias cuando se burlaron de él por su cabello largo. El maldito demente le arrancó un pedazo de oreja a uno y le clavó un tenedor en el cuello al otro. Ese chico desapareció después de eso, y todos pensamos que había terminado en un reformatorio o en un psiquiátrico. Pero unos meses después escuché a los trabajadores sociales decir que fue adoptado. Así que continué molestando a los padres sustitutos y a los trabajadores sociales día tras día, preguntando si alguien me adoptaría a mí también. Pregunté y pregunté hasta que mi padre de acogida se hartó y me gritó a la cara que dejara de hacer preguntas estúpidas. Seguí su consejo.

¿Es mi miedo al rechazo el motivo por el que me cuesta tanto pedirle a Asya que se quede conmigo? Anoche estuve a punto de hacerlo. Tenía tantas ganas de pedírselo que apenas pude evitar que las palabras salieran de mi boca. Quizás hubiera dicho que sí. Sé que le gusta pasar tiempo conmigo. Creo que incluso le gusto, pero quedarse conmigo significaría no volver con su familia. ¿Le gusto lo suficiente como para elegirme a mí antes que a ellos?

La melodía en la sala cambia. La conozco. Es la versión de piano de la *intro* de *Game of Thrones*. A Asya le encanta. Salgo de la cama, con la intención de arrastrarla de vuelta conmigo, justo cuando suena mi teléfono sobre la mesita de noche. El nombre de Roman se ilumina en la pantalla.

—¿*Pakhan*? —inquiero cuando contesto la llamada.

—Necesito hablar contigo, Pavel.

—De acuerdo. —Asiento con la cabeza y me siento en la cama.

—En persona —añade con un tono de voz siniestro—. Te espero en la mansión dentro de una hora.

La línea se desconecta.

Entro a la oficina del *Pakhan* y lo encuentro sentado detrás de su escritorio. Mikhail y Sergei también están allí, descansando en los sillones junto al librero.

—*Pakhan.* —Cierro la puerta detrás de mí y me dirijo a su escritorio—. ¿Pasa algo en los clubes?

—No exactamente —responde—. Dime, Pavel, ¿hay algo que deba saber? ¿Quizás algo que se te haya olvidado mencionar?

—¿Sobre qué?

Ladea la cabeza, mirándome.

—¿Te suena el nombre DeVille?

Un escalofrío me recorre la espalda.

Roman sonríe. No es una sonrisa agradable.

—Ya veo que sí. —Se inclina hacia delante y golpea el escritorio con la palma de su mano—. ¿En qué demonios estabas pensando al esconder a la hermana de Arturo DeVille en tu casa?

Tardo unos instantes en recuperarme. ¿Cómo demonios se enteró?

—No quiere que nadie lo sepa. Incluyendo a su hermano —admito entre dientes—. Cuando esté lista, lo llamará.

—¡Me importa una mierda lo que ella quiera! —gruñe Roman—. ¡Su hermano lleva meses buscándola, pensando que está muerta! ¿Puedes al menos imaginar cómo ha sido eso para él? Su hermana menor, desaparecida, sin saber si está viva o muerta.

Aprieto las manos y rechino los dientes.

—Asya no quiere llamarlo, Roman.

—¿Sabes que ella tiene una hermana, Pavel? —continúa Roman—. ¿Una hermana que pasó dos semanas en el hospital después de tragarse un frasco de somníferos porque creía que había sido culpa suya que Asya desapareciera?

—Mierda. —Cierro los ojos—. ¿Ella está bien? ¿Su hermana?

—Ella está bien.

—¿Cómo sabes todo esto? —pregunto y lo miro.

—Cuando Asya desapareció, Ajello le envió un mensaje a todas las *Familias* de la *Cosa Nostra,* exigiendo que informaran si alguien la veía. Envió su foto. —*Pakhan* suspira—. Damian Rossi los vio anoche en Ural. Arturo estaba en mi puerta a las seis esta mañana.

Agarro el respaldo de la silla que tengo enfrente, con tanta fuerza que se me ponen blancos los nudillos.

—¿Le dijiste dónde está?

Roman mira hacia donde están sentados Mikhail y Sergei.

—En este momento está de camino a tu casa, Pavel.

Lo miro fijamente mientras en la boca del estómago me invade el miedo más intenso que jamás haya sentido. Él se la va a llevar. Volteo, listo para salir corriendo de la oficina y dirigirme a casa, y me encuentro con Sergei bloqueándome la salida.

—¡Muévete! —rujo y me lanzo hacia él, pero dos brazos me agarran por detrás.

—*Pasha.* Cálmate —pronuncia Mikhail, sujetándome.

Echo la cabeza hacia atrás y le doy un cabezazo en la

frente. Mikhail afloja su agarre y yo aprovecho la oportunidad y arremeto contra Sergei. Me da un puñetazo en la cabeza, pero yo golpeo su estómago con el codo. Me agacho, esquivando su siguiente golpe, y lanzo un puñetazo a su cara justo cuando Mikhail se abalanza sobre mí por detrás, inmovilizándome contra la pared junto a la puerta.

—¡No puedes mantener a una persona alejada de su familia, maldita sea! —brama junto a mi oreja y me golpea la cabeza contra la pared.

—¡Se la llevará!

—No puede llevársela si ella no quiere irse —afirma Mikhail—. Pero si ella quiere, no tienes derecho a obligarla a quedarse.

—Lo sé. —Cierro los ojos y me desplomo contra la pared, derrotado.

—Suéltalo, Mikhail. Puedes irte —ordena Roman desde algún lugar detrás de mí—. Tú también, Sergei.

Escucho cómo se abre la puerta y unos pasos en retirada, pero no me muevo. Apoyo la frente en la superficie fría. Me estoy entumeciendo lentamente.

—Pavel, mírame.

Abro los ojos e inclino la cabeza hacia un lado. Roman está a mi lado, apoyado en su bastón.

—Tienes que dejarla ir. Si no lo haces, ni tú ni ella sabrán si está contigo porque te quiere. O si es porque tiene miedo de marcharse.

—No lo entiendes —aseguro—. Nunca he tenido a nadie, Roman. Hasta que ella llegó. Ya no puedo imaginar mi vida sin ella.

—Necesita ir a ver a su hermana. Necesita a su familia. Y su familia la necesita a ella. Pero volverá.

Vuelvo a mirar hacia la pared.

—No volverá. Si se va, no regresará.

—¿Por qué estás tan seguro?

—Porque ya no me necesita, Roman. Me necesitaba antes. Ya no.

—¿Quieres que se quede contigo únicamente porque te necesita? Te mereces algo mejor que eso. Ambos lo merecen.

—Lo sé. —Golpeo mi frente contra esa maldita pared como si eso ayudara a sofocar el terror que me invade por dentro.

—Ve a casa. Habla con ella. Habla con Arturo, se merece una explicación. —Roman pone su mano en mi hombro y aprieta—. Tómate unos días libres si lo necesitas. Y, por favor, deja de golpear tu cabezota contra mi pared. La vas a romper, carajo.

—¿Mi cabeza? —Curioseo.

—La pared, Pavel. Si no se te rompió el cráneo durante todos esos años de peleas, desde luego no se te romperá ahora.

Resoplo y sacudo la cabeza.

Tocan a la puerta.

Mis dedos se detienen sobre las teclas del piano. *Pasha* nunca toca. Siempre hace sonar el timbre. Debe de ser un vecino que quiere pedirme que no toque tan fuerte. Cruzo la sala y abro la puerta. Cuando mis ojos se posan en el hombre que está al otro lado, retrocedo un paso hacia atrás rápidamente.

—Dios mío. —Se atraganta mi hermano y me abraza con

fuerza, apretándome tanto que me resulta imposible mover un músculo.

Intento tomar aire, pero no parece entrar en mis pulmones. Otro intento. Arturo afloja su abrazo y me observa con una mirada un poco desquiciada. Y entonces, vuelve a aplastarme contra su cuerpo. Me tiemblan los brazos mientras lo abrazo y aprieto mi mejilla contra su pecho.

—¡Creí que habías muerto! —exclama contra mi cabello—. Creí que alguien te había secuestrado, y he estado esperando a que alguien llame para pedir un rescate. La llamada nunca llegó.

—Lo siento —murmuro, con lágrimas en los ojos. Es difícil creer que esté aquí después de tanto tiempo. Y me hace sentir bien—. Lo siento mucho, Arturo.

—¿Por qué, Asya? ¿Por qué no nos avisaste que estabas bien? —Sujeta mi cara entre sus manos y levanta mi cabeza—. ¿Dónde estuviste todo este tiempo?

Observo a mi hermano mientras la preocupación enciende una sensación de aprensión en la boca de mi estómago, extendiendo las acaloradas pulsaciones de pavor por mi pecho.

—Encontramos tu bolso y tus gafas detrás de ese bar. Y sangre. ¿Qué pasó? —Abro la boca, pero ninguna palabra sale de mis labios—. ¡Por Dios, Asya, di algo, maldita sea!

—¡Me violaron! —grito en su cara.

Arturo se queda completamente pálido. Parpadea. Sus manos en mis mejillas comienzan a temblar. Envuelvo su espalda con mis brazos y entierro mi cara en su pecho.

Y entonces hablo, aunque no se lo cuento todo.

Cuando termino, Arturo se arrodilla frente a mí sin dejar de abrazarme. Enredo mis dedos en su cabello y apoyo mi mejilla sobre su cabeza, escuchándolo mientras murmura cómo va a crucificar al hijo de puta que me lastimó, y luego lo mucho que me quiere.

—Yo también te quiero, Arturo —susurro.

Y por eso no le conté toda la historia. Me salté la peor parte. Es mejor así.

—Tenemos que llamar a Sienna —añade mi hermano—. No quería decirle nada hasta estar seguro. Por si… por si no eras tú, no podía arriesgarme a que volviera a cometer una estupidez.

—¿Qué quieres decir?

Sacude la cabeza y me abraza con más fuerza.

—¿Qué hizo, Arturo?

Pavel

Lo primero que noto cuando entro al departamento es un hombre de cabello oscuro sentado en el sofá de la sala. Está mirando al suelo entre sus pies, con los codos apoyados en las rodillas mientras se agarra el cabello con las manos.

—¿Dónde está Asya? —pregunto.

—Duchándose. Preparándose para irnos —contesta sin dejar de mirar al suelo.

—¿Te contó todo?

—Sí. También sé que estuvo aquí todo este tiempo.

Cruzo la sala y tomo asiento en el sillón reclinable a su izquierda.

—Necesito darte algunos consejos sobre Asya.

Levanta bruscamente la cabeza y dos ojos castaño oscuro, del mismo tono que los de Asya, me clavan una mirada llena de odio.

—No necesito que me des putos consejos sobre mi hermana. La crie desde que tenía cinco años.

Ignoro su actitud hostil.

—Todavía tiene problemas para tomar algunas decisiones. Lo solucionamos casi todo, pero puede que necesite ayuda de vez en cuando. Intenta no darle indicaciones específicas, más bien oriéntala hacia ellas.

Me mira en silencio.

—Nada de margaritas. Ni flores, ni nada, como cortinas o lo que sea con dibujos de ellas —continúo—: Los trajes ya no la perturban, pero las corbatas de hombre aún pueden alterarla. Si están en un lugar público, lleno de hombres desconocidos que usan traje, tienes que tomarla de la mano.

Se mira a sí mismo, concentrándose en su corbata gris de seda, luego levanta la cabeza y recorre con la mirada mi camiseta y mis *jeans*. Cuando sube la mirada y nuestros ojos se encuentran, veo el odio que hay en ellos.

—¡Maldición! —brama—. Estás enamorado de ella.

No aparto la mirada mientras respondo:

—Sí.

—¡Tiene dieciocho años, por el amor de Dios! Eres demasiado viejo para ella. Asya necesita a alguien de su edad. Y definitivamente no a un exconvicto.

—¿Me investigaste?

—Por supuesto que te investigué. Quería conocer al hombre que me estaba ocultando a mi hermana. Incluso encontré vídeos de algunas de tus peleas.

—Bueno, espero que fueran entretenidos.

Arturo se inclina hacia delante y me clava la mirada.

—¡Intentaste robarme a mi hermanita! Una chica que fue abusada y lastimada. La mantuviste alejada de su familia, aunque sabías que nos necesitaba —sisea—. No sé qué clase de fantasía enfermiza creaste, jugando a la casita con una adolescente, y no me importa. ¡No dejaré que vuelvas a acercarte a ella! ¡Jamás! Mi hermana se merece algo mejor.

—Lo sé. —Me levanto y me dirijo al mueble junto a la puerta principal donde guardo algunos bolígrafos y papel—. Te daré mi número. Llámame si necesitas ayuda.

Vuelvo y dejo caer el papel en la mesa de centro frente a Arturo, luego me dirijo hacia la puerta principal.

—Volveré dentro de dos horas. ¿Se habrán ido para entonces?

—¿No te despedirás? —Levanta las cejas.

—No —respondo.

—Bien.

Asiento con la cabeza y salgo del departamento.

Estoy sentado en mi auto a dos calles de mi edificio cuando suena mi teléfono.

La música de *Moonlight Sonata* me envuelve. Recuesto mi cabeza hacia atrás y miro los autos que pasan por la calle. El teléfono deja de sonar, pero enseguida vuelve a hacerlo. Dejo que siga su curso, el sonido retumbando en el pequeño espacio. Podría haberlo silenciado. Cada maldita nota se siente como una puñalada en mi pecho, pero no lo hice. El teléfono suena cuatro veces más, y dejo que suene todas las putas veces.

Llega un mensaje. Tomo el teléfono del tablero y miro la pantalla. Es un mensaje de voz. Presiono el botón de reproducción.

—¿*Pasha*? ¿Qué ocurre? ¿Arturo dijo que llegaste a casa y te fuiste? ¿Pasó algo? —Crujidos de fondo—. Nos dirigimos al aeropuerto. Tengo que ir a ver a Sienna. Ella… —solloza—. Mi hermana intentó suicidarse. Pensó que lo que me pasó fue culpa suya. Me quedaré con ella unos días y luego volveré. Te llamaré cuando llegue. —Su voz sonó temblorosa. ¿Estaba llorando?

El mensaje termina. Vuelvo a presionar el botón de reproducción. Y luego una vez más.

Es casi medianoche. Estoy acostado en el sofá, agarrando con fuerza el teléfono mientras sigue sonando en mi mano. Tengo tantas ganas de presionar el botón verde y contestar que me estoy volviendo completamente loco. Mas no lo hago. Mi mente sigue repitiendo esa frase que dijo el hermano de Asya.

«La mantuviste alejada de su familia, aunque sabías que nos necesitaba».

Tenía razón. Debería haberme puesto en contacto con él para hacerle saber que ella estaba a salvo. Si le hubiera explicado la situación, quizás hubiera aceptado esperar hasta que Asya estuviera lista para verlo. Sin embargo, fui demasiado egoísta y me aterraba la idea de que me la arrebatara. Ya no podía imaginar mi vida sin ella. La posibilidad de que se fuera me aterraba y estaba dispuesto a hacer lo que fuera necesario para asegurarme de que se quedara. Así que mantuve la promesa que le hice y guardé silencio, como un hijo de puta que se protegía a sí mismo. Me convertí en su maldito demonio. Nadie merece estar con una persona así, especialmente Asya.

Siempre pensé que podría medir el amor por lo mucho que quisiera estar con una persona. Decidir estar con alguien por el resto de mi vida parecía la cúspide del amor. Error. Ahora entiendo mucho mejor las cosas. Sabiendo que Asya, la mujer que amo, estará mejor sin mí, tuve que dejarla ir. Aunque me duela. Aunque me destroce por dentro. Tal vez, si amara a Asya un poco menos, habría encontrado una manera de que se quedara conmigo. Sin embargo, la amo demasiado como para hacerle eso, así que la dejé ir.

Debería haber contestado su llamada. Despedirme, al menos. Pero no pude. Escucharla decir que volvería, incluso sabiendo que no lo haría, no me permitió arriesgarme a hablar con ella. Habría hecho algo estúpido, como hacerle prometer que volvería conmigo.

Mis ojos se posan en el piano, cerca de la ventana de la sala. ¿Por qué no se lo llevó, joder? Me levanto del sofá y me dirijo a la cocina para sacar la caja de herramientas de donde la guardo debajo del fregadero. Cuando vuelvo a la sala sostengo un martillo en la mano. Camino hacia el instrumento con la intención de destrozarlo hasta que no quede nada de él, pero en lugar de eso, acabo contemplando las teclas durante una hora. A Asya le encanta este piano. El martillo se me cae de la mano y golpea el suelo encerado con un ruido seco. No puedo destruir algo que la hacía feliz.

Suena mi teléfono. Lo agarro y lo arrojo al otro lado de la habitación.

Es lo mejor para ella. No se sentirá obligada a llamarme por un sentimiento de gratitud o lo que sea. Puede que le cueste adaptarse los primeros días en su casa, sin embargo, ahora tiene a su familia. Y también a sus amigos. Pronto se olvidará de mí y seguirá con su vida. Tal vez yo haga lo mismo.

El teléfono vuelve a sonar. Suena dos veces más esa noche.

Sigue sonando al menos diez veces al día durante los cinco días siguientes.

Al sexto día, solamente suena una vez y luego cesan las llamadas.

Capítulo veinte

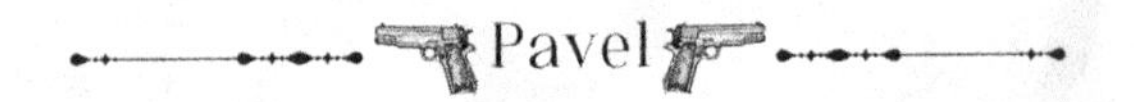

Tres semanas después

Estaciono mi auto a una cuadra de la casa de Asya y me dirijo calle arriba.

Viajar en avión habría sido mucho más fácil. En lugar de eso, conduje trece horas, con la esperanza de cambiar de opinión en el camino y regresar. Me detuve tres veces y estuve a punto de convencerme de hacer exactamente eso, pero cuando volví a la carretera, seguí hacia el este. La necesidad de volver a verla es una obsesión, lo único en lo que he pensado durante días. Un vistazo rápido y me iré.

Algo húmedo cae sobre mi mejilla, así que miro hacia el cielo nocturno. Está nevando. Se me aprieta el pecho al ver los copos blancos caer sobre mi cara. A mi *mishka* no le gusta la nieve. Es lo único que no logramos superar.

Me prometí que no seguiría esperando su regreso. Sabía que ella no regresaría, no después de todas las llamadas perdidas y los mensajes sin contestar. Sin embargo, aún tenía esperanzas.

La semana pasada, sintiéndome más miserable que nunca, saqué del fondo de mi armario la caja con mi kit para tatuar. No tengo la menor idea de por qué conservo esa cosa. Dejé de añadir tatuajes hace más de una década. Sin embargo, esa noche me senté en la mesa del comedor, en mi departamento vacío, y me puse a trabajar en un nuevo tatuaje. Como no tenía ningún espacio libre en el torso ni en los brazos, me lo hice en el dorso de la mano. Cuando Kostya me vio al día siguiente, me preguntó si era una de esos tatuajes temporales, porque nunca me había tatuado una parte visible del cuerpo. Le dije lo que pensaba de su opinión con mis nudillos recién tatuados.

Solo puedo ver la parte superior de la casa al principio de la calle. La mayor parte está oculta tras el portón alto y la vegetación, pero coincide con la descripción que Dimitri pudo encontrar. La casa de Asya.

Sigo observando la casa, intentando ver la luz en una de las ventanas, cuando un coche llamativo dobla la esquina y se estaciona justo frente a la reja. Hay un poste de alumbrado público cerca, así que retrocedo a la sombra de un árbol. El hombre que sale del lado del conductor es joven, probablemente de unos veinte años. Está sonriendo, obviamente de buen humor. Abre la puerta del pasajero y una mujer toma su mano y sale. Tiene puesto un abrigo blanco, desabrochado, que deja ver un vestido rojo sangre debajo. Está nevando con más fuerza y los copos de nieve se pegan a la falda emplumada del vestido. El hombre la agarra por la cintura, estrechándola contra su cuerpo. La mujer se ríe.

Conozco esa risa. Quiero darme la vuelta y marcharme, pero no puedo apartar mi mirada de la mujer mientras inclina la cabeza y besa al hombre. No es un beso amistoso, sino apasionado. La mano del hombre se desliza por su espalda.

La reja se desliza hacia un lado y la mujer se suelta del abrazo. Un momento antes de que desaparezca a través de la reja, logro ver su rostro. Se cortó el cabello. Ahora le llega hasta los hombros, pero no hay duda.

Es mi Asya.

Algo se rompe en el interior de mi pecho. Estoy bastante seguro de que es mi corazón.

El portón se cierra y el coche se marcha, pero yo sigo parado en las sombras, mirando la casa que hay al otro lado de la reja.

Ella está bien. No estoy seguro de si el hombre que vi es simplemente su cita o su novio, pero en realidad no importa. *Ella* siguió con su vida. Esperaba que lo hiciera, pero verlo duele jodidamente demasiado. *Ella* merece ser feliz. Y me alegro de que lo sea.

Me doy la vuelta y vuelvo a mi auto, con la nieve crujiendo bajo las suelas de mis zapatos. No podía dormir en mi propia cama desde que se fue, así que pasé las primeras noches en el sofá y luego me mudé a una de las habitaciones vacías.

Sin embargo, ya no puedo hacerlo. No puedo quedarme en ese lugar ni fingir que vivo mi antigua vida.

Cuando estoy dentro de mi auto, llamo a Roman.

—¿Pavel? —Resuena su voz desde el otro lado.

Miro la casa calle arriba por última vez.

—Renuncio —declaro y corto la llamada.

Asya

Dejo el teléfono y veo cómo mi hermana se quita los tacones y se dirige al armario.

—Esa cosa es horrible —comento.

—¿Qué? —Sienna se da la vuelta y levanta la cadera—. Esto es de la nueva colección.

Siempre me sorprende cómo dos personas pueden ser idénticas por fuera pero tener personalidades y gustos muy diferentes.

—Maldición, Sienna, tiene plumas. ¿Cómo lo lavas?

—En la tintorería —responde y desabrocha la cremallera de la monstruosidad roja—. ¿Cuándo piensas salir de la casa? Podemos hacer senderismo en Catskills.

—¿Senderismo? —Arqueo las cejas. Lo más alto que mi hermana ha escalado en su vida fue cuando se subió a un banquito para agarrar la secadora de cabello vieja de una repisa cuando la que utilizaba regularmente se descompuso.

—¿Qué? Podría ser divertido.

Sacudo mi cabeza y vuelvo a mirar mi teléfono.

—No estoy de humor.

Sienna deja de tocar su vestido y se tumba en la cama a mi lado.

—Tienes que olvidarte de ese tipo, Asya. No quiere nada contigo. Ya deberías haberte dado cuenta.

—Eso no lo sabes.

—¡Lo has llamado más de cincuenta veces! Revisé tu historial de llamadas —exclama y toma mi teléfono—. Por favor, dime que no lo volviste a llamar.

—¡Devuélvemelo! —Salto hacia ella, intentando recuperar mi teléfono—. ¡Sienna!

—¡Lo hiciste! No puedo creerlo.

—No lo llamé. —Le quito el teléfono—. Estaba mirando unas fotos.

—¿Qué fotos?

Me encojo de hombros.

—¡Nunca me dijiste que tenías una foto suya! —Sienna me mira con los ojos muy abiertos—. ¡Déjame ver! ¿Por favor? ¿Por favor? ¿Por favor?

Desbloqueo el teléfono y se lo paso a regañadientes. Ella lo agarra con un chillido y empieza a revisar las carpetas.

—¡*Oh*, me muero de ganas de… madre mía, Asya! ¿Es él?

Miro la pantalla, donde está la foto de *Pasha* que tomé en secreto una mañana mientras dormía. Está boca arriba con un brazo sobre su cara. Las sábanas le rodean la cintura, dejando a la vista su enorme pecho tatuado.

—Sí. —Asiento con la cabeza.

Sienna pasa a la siguiente imagen. Esa está un poco borrosa, la tomé el día que me dio el teléfono. Estaba probando la cámara con una selfie, pero moví la mano demasiado rápido. En la foto, estoy apoyada contra el pecho de *Pasha* mirando a la cámara. Él me abraza por la cintura y me mira desde arriba.

—Sigo sin entender qué fue lo que pasó —confieso mirando a la pantalla—. ¿Por qué me dejó? ¿Hice algo? ¿Decidió que ya no podía lidiar con mis problemas?

—Asya, detente. —Sienna toma mi mano—. No hiciste nada malo. ¿Me entiendes? No te merece, no después de cómo se comportó.

—Lo extraño tanto —susurro y vuelvo a mirar el teléfono. Ojalá le hubiera tomado más fotos.

—Ya se te pasará. Conocerás a un chico, te enamorarás y olvidarás por completo al ruso. —Me abraza—. Cuando estés lista, saldremos juntas y encontraremos al chico más guapo y dulce para ti. ¿De acuerdo?

Me invade una sensación de pesadez y cierro los ojos. No quiero a un chico dulce y guapo. Quiero a *Pasha*. Tan solo de pensar en cualquier otro hombre tocándome se me revuelve el estómago. El ácido me sube por la garganta, así que me abanico la cara, esperando que se me pasen las náuseas. Y no es así. Solo empeoran. Salto de la cama y corro hacia el baño, llegando a duras penas al retrete a tiempo. Sienna corre detrás de mí y me aparta el cabello de la cara mientras vacío el contenido de mi estómago. Cuando termino, me dejo caer al suelo junto al inodoro y miro al techo.

—No puedo ni siquiera pensar en otros hombres sin vomitar, Sienna —confieso en un susurro.

Un mes después

Mi teléfono suena mientras estoy reorganizando mi armario por tercera vez esta semana. Descubrí que doblar la ropa me ayuda a mantener mi mente libre de pensamientos. Lo curioso es que también empecé a ordenar mis prendas de vestir por colores.

Tomo mi móvil y veo que es una llamada desde un número desconocido. Solo un par de personas tienen este número porque sigo usando el teléfono que me dio *Pasha*. En el fondo, aún tengo esperanzas de que me llame, sin embargo, ya han pasado casi dos meses.

—¿Sí?

—¿Asya? —pregunta una voz masculina vagamente familiar—. ¿Puedes poner a ese desgraciado al teléfono? Lleva semanas ignorando mis llamadas y tengo un desastre entre manos en Ural.

Levanto las cejas.

—¿Kostya?

—Por supuesto, soy yo, cariño. ¿Quién más tiene una voz tan *sexy*? *Oh,* maldición, por favor no le digas que te llamé cariño.

—¿Decirle a quién?

—A *Pasha,* por supuesto. ¿Puedes pasármelo, por favor? Me llevó dos días descifrar la contraseña de su cuenta de correo electrónico para encontrar tu número. Las cosas aquí se están volviendo desastrosas.

¿Por qué pensaría Kostya que *Pasha* está conmigo? Me trago el nudo que se me ha formado de pronto en la garganta y cierro los ojos.

—Él no está aquí.

—Por favor, dile que me llame cuando…

—No está aquí, Kostya. No lo he visto desde que me fui de Chicago —suelto.

—¿Qué? ¿No está contigo? ¿Te ha llamado últimamente?

—No. Yo lo llamé, pero nunca contestó —alego—. ¿Qué está pasando?

Por un momento, no hay más que silencio antes de que Kostya responda.

—*Pasha* renunció hace un mes.

—¿Renunció? No puede simplemente abandonar la *Bratva*. ¡Petrov lo cazará y lo matará!

—Roman no lo matará, pero no creo que a *Pasha* le importe. —Una maldición rusa se escucha desde el otro extremo, luego un sonido de algo rompiéndose—. Nadie sabe dónde está. Contestó mis llamadas la primera semana, pero después, nada. No ha ido a su apartamento, así que esperaba que estuviera contigo.

Siento pavor en el estómago.

—¿Ha desaparecido antes?

—¿Pavel? —Se ríe, aunque suena forzado—. No se ha tomado ni un solo día libre desde que se unió a la *Bratva*. Bueno, me refiero a antes de ti.

—¿Dónde está, entonces? —Intento preguntarlo con calma, no obstante, acabo sonando como si estuviera gritando porque mi voz es más aguda y temblorosa de lo normal.

—No tengo idea, Asya.

Camino por la habitación, intentando calmarme, pero tengo el pecho oprimido y el corazón acelerado. Tengo el mal presentimiento de que algo realmente horrible está a punto de ocurrir.

—Necesito que me llames en cuanto sepas algo de él. Por favor.

—Claro, cariño. Haré un par de llamadas para ver si alguien lo ha visto o sabe algo de él y luego te avisaré.

Cuando terminamos la llamada, me acerco a la ventana que da al jardín y me quedo mirando a nada en particular. Me prometí que no volvería a llamarlo. Si quiere hablar, que me llame.

Miro hacia el teléfono y presiono la marcación rápida. Suena. Y suena. Cierro los ojos, apoyo mi frente contra la ventana y sigo escuchando el timbre hasta que se desconecta sin pasar al buzón de voz. Vuelvo a llamar. Y vuelvo a llamar. Al cuarto intento, llega un mensaje. Tengo miedo de lo que pueda decir, así que me quedo mirando su nombre durante al menos diez minutos antes de armarme de valor y abrirlo.

23:15 Pasha: Deja de llamar, Mishka. Por favor.

—¡Vete a la mierda! —le grito a la pantalla y tiro el móvil sobre la cama. Y luego rompo en llanto.

Pavel

Los sonidos familiares de aplausos y gritos me rodean. Al igual que el hedor a sudor mezclado con el leve olor a moho. Suenan risas y luego más gritos. Apoyo mi espalda contra el muro de concreto y miro fijamente el teléfono que tengo en la mano y el mensaje de texto que acabo de enviar.

Me llamó. Mirar su nombre en la pantalla, y no responder a esas llamadas, fue lo más difícil que he hecho en mi vida, joder. Si hubiera seguido marcando, probablemente habría sucumbido.

Reviso el registro de llamadas. Hay cientos de llamadas perdidas en las últimas semanas. Al menos cincuenta son de Kostya, pero hay docenas de Roman, y Mikhail, también. El resto de los chicos también me han estado llamando. Incluso Sergei. Nunca contesté. No tenía ganas de hablar. ¿Qué había que decir?

Presiono el pulgar sobre el nombre de Asya al principio de la lista, deslizo el dedo hacia un lado y borro el registro. Luego, vuelvo al mensaje enviado y lo borro también. Ver su nombre me duele demasiado. Debería borrar su número, pero no serviría de nada. Lo memoricé desde el momento en que le compré el teléfono.

Una puerta metálica al otro lado de la habitación rechina al abrirse y entra un hombre. Con su traje y corbata de color negro, parece un hombre de negocios. Bueno, teniendo en cuenta la gente que viene a ver estas peleas y la cantidad de dinero que cambia de manos cada noche, tienen que ser elegantes.

—Tú sigues —anuncia un momento antes de que suene

la campana, seguida de gritos de entusiasmo—. Intenta no incapacitar a tu oponente en el primer asalto esta vez. Al público le gusta verlos luchar un poco.

Termino de vendarme las manos, me levanto y me dirijo hacia la puerta mientras estallan más gritos de entusiasmo procedentes de donde está la jaula de combate.

El teléfono vibra junto a mi almohada. Me levanto de la cama y presiono el botón para contestar, luego me pongo el auricular en la oreja.

—¿Lo encontraste? —susurro.

—Sí —replica Kostya desde el otro lado.

Cierro los ojos y respiro. Han pasado cuatro malditos días.

—Entonces, ¿él está bien?

—Sí. Más o menos.

Abro los ojos de golpe.

—¿Qué quieres decir con "más o menos"?

—Está peleando otra vez —suspira Kostya.

—¿Qué?

—Sí. Intenté hablar con él. No salió bien. Roman también lo llamó. Incluso fue a su último combate. *Pasha* no quiere volver.

—Pero… ¿por qué? ¡Me dijo que dejó de pelear hace diez años!

—*Pasha* es un tipo muy cerrado, cariño. Quién sabe lo que ocurre en su cabeza.

Entierro mi mano en mi cabello, apretándolo.

—¿Esas peleas son peligrosas? —no contesta—. ¿Lo son, Kostya? —grito al teléfono.

—Son peleas clandestinas, Asya. ¿Qué esperabas?

—¡No lo sé! Nunca he ido a un combate de boxeo.

—No es un combate de boxeo, cariño. En el boxeo hay reglas. Estas peleas no las tienen —explica en tono sombrío mientras me llega un mensaje al teléfono—. Te envié el enlace a la página *web* del club y una contraseña para acceder a ella. Busca "Pavel Morozov peleas" y compruébalo tú misma. Pero no veas la última pelea.

—¿Por qué? —cuestiono.

Respira profundamente.

—Sé que te gusta, cariño. Por favor, no veas el vídeo más reciente.

Cuando Kostya cuelga, abro el mensaje con el enlace y le doy clic. A simple vista, el sitio *web* parece una página promocional de un gimnasio común y corriente, con imágenes de aparatos de ejercicio y gente haciendo estiramientos o levantando pesas. En la esquina superior derecha, encuentro un botón para iniciar sesión. Hago clic en él e introduzco la contraseña de diez dígitos que Kostya me envió con el enlace. Aparece una nueva ventana y enseguida me fijo en la tabla. En la primera columna aparecen los nombres, y veo que *Pasha* es el segundo de la lista, justo debajo del nombre de otro tipo. Junto a los nombres aparecen los puestos en el *ranking* y el número de victorias. Actualmente, *Pasha* ocupa el segundo lugar. Debajo de la tabla de posiciones está el calendario de este mes. Me deslizo hasta el final y veo que solamente queda una pelea este mes, programada para mañana en la noche. Es entre *Pasha* y el tipo que ocupa el primer lugar. Vuelvo a subir para ver el número de victorias. Junto al nombre de *Pasha* hay doce. Echo un vistazo al número del otro contrincante y se me hiela la sangre. Son cincuenta y cuatro.

—¡Mierda! —Me dejo caer al suelo, apoyando mi espalda contra la pared, y tecleo "Pavel Morozov" en el buscador. Una colección de vídeos aparece. El más antiguo es de hace un mes. Presiono reproducir.

No estoy segura de lo que esperaba. Probablemente un *ring* de combate y algunas personas paradas a su alrededor. Al menos, así me imaginaba yo los combates de boxeo. Lo que estoy viendo no se parece en nada a eso. El vídeo comienza con una toma desde arriba, que muestra el interior de una fábrica abandonada o un almacén. En el centro, sobre una plataforma elevada, hay un *ring* octagonal. Alrededor de la jaula hay hombres y algunas mujeres sentados en sillas cómodas. Todos están vestidos de manera elegante, como si fueran a una reunión de negocios y no a ver un combate. Algunos incluso tienen guardaespaldas cerca.

Se abre una puerta de metal frente a la jaula y entran dos hombres. La cámara enfoca a los luchadores y por poco no lo reconozco. *Pasha* se afeitó todo el cabello. Sin embargo, ese no es el mayor cambio. Su postura, su forma de caminar y la expresión sombría de su rostro hacen que parezca otra persona. Sube al *ring* y se coloca en un lado mientras su oponente se dirige al extremo opuesto. El árbitro señala el comienzo.

Pasha y su rival empiezan a moverse en círculos. El contrincante lanza un golpe al costado de *Pasha*, pero este lo esquiva, le agarra la cabeza y le da un rodillazo en la cara. La sangre brota de la nariz del tipo, y aparto la vista de la pantalla. Cuando reúno el valor suficiente para volver a mirar, *Pasha* está de pie sobre su oponente, presionando la cara del hombre derrotado contra el suelo. Nunca había visto un combate de boxeo, pero tenía la impresión de que duraban por lo menos media hora. Este terminó en menos de dos minutos. El árbitro anuncia la victoria de *Pasha* y el vídeo termina. Me armo de valor y hago clic en el siguiente.

Tardo casi una hora en ver las diez primeras reproducciones. Tengo que hacer una pausa y reponerme varias veces antes de continuar. Tanta violencia. Sangre. Huesos rotos. Cada vídeo es más violento que el anterior. Me está matando ver a mi *Pasha* volverse tan sanguinario. Sediento de sangre. No reconozco a esta persona como el hombre con el que pasé tres meses. ¿Qué le pasó? ¿Por qué está haciendo esto? Quedan dos vídeos, sin embargo, no puedo obligarme a verlos. Me duele demasiado.

A veces, desearía que Arturo no me hubiera encontrado. Sé que eso los habría destrozado a él y a mi hermana. Sienna sigue culpándose, aunque le he explicado al menos cien veces que fui yo quien tomó la decisión de quedarme en el bar aquella noche. Aun así, a veces, cuando no puedo dormir, que últimamente es muy a menudo, imagino cómo sería mi vida si mi hermano no hubiera aparecido y yo me hubiera quedado en Chicago.

Sigo sin concebir por qué *Pasha* me abandonó. Intenté pensar en algún motivo para su comportamiento, aunque sigo sin entender.

Son casi las siete de la mañana, pero no puedo dormir. No después de lo que acabo de ver. Esperaré a que Arturo y

Sienna se despierten y luego intentaré volver a tocar el piano. No he sido capaz de terminar una melodía completa desde que volví a casa. Al menos dos veces al día he ido a la planta baja a sentarme frente al gran piano negro, mirando fijamente las teclas. La mayoría de las veces no surgía nada de música y lo dejaba tan silencioso como cuando llegué. Otras veces, cuando realmente intentaba tocar, todas las notas sonaban mal.

Descuelgo mi suéter de la silla, salgo de la habitación y bajo a desayunar. Al pasar frente a la habitación de Arturo, escucho que menciona mi nombre y me detengo. Está hablando con alguien por teléfono. Me inclino hacia delante y apoyo la oreja contra la puerta.

—No es la misma, Nino —comenta mi hermano—. No sé qué hacer. Apenas sale de su habitación.

Hay unos momentos de silencio mientras seguramente escucha lo que dice Nino.

—¡No! —brama Arturo—. No voy a llamar a ese hijo de puta. Le dije lo que pensaba de él y de su intento de alejar a Asya de nosotros. ¿Esconder a mi hermana y no permitir que se comunicara con nosotros? ¿Qué clase de bastardo enfermo hace eso?

¡¿Qué?! Agarro la manija y abro la puerta de golpe, con el corazón martilleándome a toda velocidad contra las costillas. Mi hermano está parado junto a la cama con el teléfono pegado a la oreja.

—¿Exactamente qué fue lo que le dijiste a *Pasha*, Arturo? —exclamo.

—Te llamo luego —murmura y tira el teléfono sobre la cama.

—¡¿Qué?! —grito.

—La verdad —suelta—. Le dije la verdad, que te mantuvo oculta para satisfacer sus propias necesidades egoístas. Que utilizó a una chica joven y herida y la obligó a quedarse con él en lugar de devolverla con su familia. A su vida. Que es un bastardo enfermo. Eso es lo que le dije.

Miro atónita a mi hermano y doy dos pasos hasta colocarme frente a él.

—Él me salvó la vida, Arturo.

—Cualquier persona normal habría ayudado a una mujer en apuros. Pero no habrían intentado esconderla.

Cierro los ojos. Cuando Arturo vino a buscarme, solamente le conté lo que hizo Robert. Cree que pasé todo ese tiempo con *Pasha*. Esperaba no tener que llegar a esto, no tener que contarle lo que pasó durante esos dos primeros meses ni lo que me hizo esa gente. Lo que me obligaron a hacer. Debería haberlo hecho, pero no quería lastimarlo.

—Siéntate, Arturo —pido, y cuando lo hace, comienzo a hablar.

Esta vez se lo cuento todo.

Cuando termino, me mira con sus ojos enrojecidos, se sujeta el cabello con las manos y se mantiene a duras penas al borde de la cama. Creo que nunca había visto llorar a mi hermano, ni siquiera cuando nos dijeron que habían matado a nuestros padres.

—¿Por qué no me lo dijiste? —Se atraganta, luego me agarra y me envuelve en un abrazo, aplastándome contra él—. ¿Por qué, Asya? ¿Por qué? —musita.

—Estaba muy mal cuando *Pasha* me encontró —confieso contra su cuello—. Algo se había roto dentro de mí, Arturo, y me sentía como si estuviera atrapada en un agujero negro sin ninguna forma de escapar. *Él* me salvó. Y no solamente mi vida. También me salvó el alma. Me ayudó a reunir todos los fragmentos rotos y a pegarlos de nuevo.

—Deberíamos haber sido nosotros —añade contra mi cabello—. Sienna y yo deberíamos haber sido los que te ayudáramos a pasar por eso.

—No me atrevía a decírtelo. No quería verte a ti ni a Sienna. Hubiera preferido morir antes que contarles.

—¿Por qué?

—Porque no estaba lista. Y porque te quiero y no podía soportar la idea de cómo te afectaría. —Levanto la cabeza y tomo la cara de mi hermano entre mis manos—. Le rogué a *Pasha* que no te llamara. Le hice prometer que no te llamaría hasta que yo estuviera lista. No fue él quien me mantuvo alejada de ti. Fui yo. Fue *mi* decisión.

—Debí haberte mantenido a salvo —insiste Arturo—. Nunca me lo perdonaré.

—Por favor, no lo hagas. No es culpa tuya.

—Voy a matarlos a todos, Asya. A todos los que estuvieron involucrados de alguna manera.

—*Pasha* y la *Bratva* ya se encargaron de ellos —aseguro, y luego inclino la barbilla hacia arriba para susurrarle al oído—. Y yo maté al tipo que me secuestró.

El cuerpo de Arturo se queda paralizado.

—¿Tú, personalmente?

—Sí. Después de que *Pasha* se encargó de él, le puse una pistola entre los ojos al bastardo y apreté el gatillo. —Sonrío—. Fue la mejor sensación que he tenido en mi vida, maldición.

—Bien. —Me aprieta la nuca.

—Necesito saber qué más le dijiste a *Pasha*. Ha estado ignorándome, no contesta mis llamadas desde que me fui.

Arturo aprieta los dientes y mira hacia otro lado.

—Le dije que te mereces algo mejor, y estuvo de acuerdo.

Respiro profundamente y cierro los ojos mientras siento presión en el puente de mi nariz.

—¡No tenías derecho! —reclamo—. No tenías derecho, Arturo. Es mi vida.

—Tienes dieciocho años, Asya. ¡Es quince años mayor que tú!

—Sí. Y he pasado por momentos muy difíciles que la mayoría de la gente no experimenta jamás —digo con tono tajante—. Creo que me he ganado el derecho a tomar mis propias decisiones.

Sí, a veces sigo teniendo problemas para elegir qué ponerme o qué comer, pero no tengo dudas en lo que respecta a *Pasha*.

—Entonces, ¿qué pasará ahora? —pregunta—. ¿Volverás con él?

—Siempre serás mi hermano mayor, Arturo. Sabes que te quiero incondicionalmente. —Lo miro a los ojos—. Pero estoy enamorada de *Pasha*. Y quiero estar con él.

—¿Estás segura de que estás enamorada de él? ¿Quizás solamente te gusta? Tal vez…

Levanto mi mano y coloco un dedo sobre sus labios para callarlo.

—Cuando *Pasha* me encontró, estaba hecha un desastre, Arturo. Tanto mi alma como mi mente estaban… destrozadas. *Pasha* hizo que me recuperara. Y mi corazón lo anhela porque él es el pegamento que mantiene unidas todas mis piezas rotas. Por favor, intenta entenderlo.

Arturo me mira fijamente mientras aprieta la mandíbula.

—Voy a ir a visitarte a tu casa al menos una vez al mes.

Sin avisar. Si noto algo, aunque sea lo más mínimo que me haga pensar que no eres feliz, mataré a ese ruso y te arrastraré de vuelta a casa.

—No tendrás que hacerlo. —Sonrío—. Lo amo. Estaré bien, Arturo.

Mi hermano cierra los ojos y asiente a regañadientes.

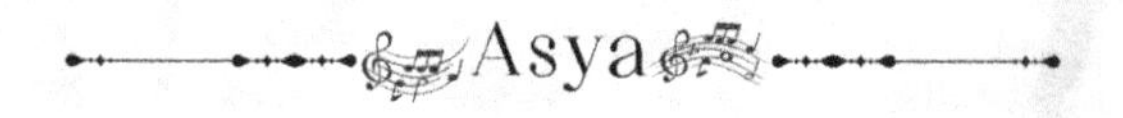

Tomo mi maleta de la banda para recoger el equipaje y me dirijo a la zona de llegada, donde familiares y amigos esperan a los pasajeros. Tardo menos de cinco segundos en localizar a Kostya. Está recargado en un pilar al fondo, mientras varias mujeres lo miran boquiabiertas. Cuando me ve acercarme, camina hacia mí y me quita la maleta de la mano.

—¿Iremos directamente a la pelea? —inquiero, fijándome en su cara en lugar de la gente que hay alrededor.

La mayoría de los hombres que he visto en el aeropuerto usan ropa casual, pero hay algunos en traje de negocios. Ya no me asusto cuando veo hombres trajeados, no obstante, sigo sin sentirme cómoda con ellos. Gracias a Dios, Kostya tiene puesta una sudadera con capucha y *jeans*.

—Sí. —Asiente con la cabeza y se dirige hacia la salida mientras yo lo sigo—. Pero aún estoy esperando que me den la información sobre la ubicación.

—¿No sabes dónde será?

—Cambian los lugares a menudo para evitar las redadas

de la policía. Y como es la última pelea de la temporada, el lugar exacto se enviará a dos horas de que empiece. Lo único que sé es que será en algún lugar al sur de la ciudad.

—¿Por qué? ¿Tiene algo de especial?

Kostya aprieta sus labios en una línea delgada y señala con la cabeza hacia el estacionamiento.

—Estoy estacionado por aquí —comenta, evitando hacer contacto visual—. Deberíamos darnos prisa.

—¿Kostya? ¿Estás ocultándome algo?

—Claro que no, cariño. —Se acerca a un sedán negro y me abre la puerta del pasajero.

Espero a que entre y arranque el vehículo y volteo hacia él.

—¿Qué tiene de especial la pelea de esta noche?

—¿No viste la última pelea en la página *web*?

—Me dijiste que no lo hiciera —respondo—. Vi las primeras diez, pero me sentí demasiado mal como para continuar. Supuse que la última fue la más violenta.

—Lo fue —afirma—. Sin embargo, no fue por eso por lo que te pedí que no la vieras.

—¿Por qué fue entonces?

Kostya guarda silencio durante unos instantes, luego respira profundamente y sacude la cabeza.

—Creo que deberías verla antes de que lleguemos, Asya. Para que te prepares.

—Prepararme ¿para qué?

Como no contesta, saco mi teléfono de la mochila y abro la página *web* del club de pelea. Después de ingresar al área privada, escribo el nombre de *Pasha* y me desplazo hasta el final de la página. Elijo el vídeo que me salté antes y presiono reproducir. Empieza como el resto de los vídeos, con la vista aérea, y luego los acercamientos a los combatientes. Me duele el pecho cuando la cara de *Pasha* aparece en la pantalla. Tiene el ojo izquierdo un poco hinchado y un enorme moretón en la barbilla. Cuando la cámara se aleja de nuevo, me doy cuenta de que tiene una férula desde la palma de su mano hasta la mitad del antebrazo derecho.

Me tapo la boca con la mano para ahogar un grito.

—¿Cómo le permitieron pelear si estaba lastimado?

—No hay reglas en las peleas clandestinas —explica Kostya—. Mientras pueda mantenerse en pie, puede pelear.

—¿Qué pasó? —inquiero con un nudo en mi garganta.

—Se torció la muñeca en la pelea anterior a esta.

—*Pasha* es diestro. ¿Cómo puede pelear con una muñeca torcida?

—Improvisará.

Miro cómo *Pasha* y su oponente toman sus lugares en las esquinas opuestas. Están más o menos igualados en tamaño, pero el otro tipo no parece tener ninguna lesión de importancia. Suena la campana y *Pasha* y el otro contrincante se acercan al centro de la jaula. Durante unos instantes, permanecen al margen, dando vueltas, evaluándose mutuamente. De pronto, *Pasha* lanza un golpe con la mano izquierda al costado de su oponente. El tipo esquiva el golpe y arremete contra *Pasha* con el puño, apuntando a su cabeza. *Pasha* se deja caer y desliza la pierna justo por encima del suelo, alcanzando al tipo por detrás de los tobillos con su pie. Mientras su oponente está en el suelo, le da un puñetazo en el estómago con el codo. Casi tan pronto como el tipo se dobla, *Pasha* lo golpea en la cabeza con el puño izquierdo y luego le da una patada. Y otra más. La sangre salpica todo el suelo, algunos dientes cubren las manchas rojas.

La audiencia grita y aplaude. *Pasha* se levanta, agarra al tipo por el tobillo y lo lanza hacia el otro lado de la jaula. El contrincante cae de lado y se queda allí. La multitud enloquece. La cámara enfoca a *Pasha*, pero aún puedo ver a hombres con trajes elegantes detrás de la jaula, saltando y aplaudiendo. La vista cambia de los peleadores a la gran pantalla montada sobre la jaula. Es un anuncio de la próxima pelea. A la que nos dirigimos ahora. Debajo de las palabras "Gran Pelea Final" hay un dibujo de una calavera roja y las palabras "Combate a Muerte" también están escritas en rojo. El vídeo termina.

Bajo el teléfono a mi regazo y miro la carretera más allá del parabrisas.

—¿Estás bien, cariño? —inquiere Kostya.

—No —confieso, girando la cabeza para verlo—. ¿Qué significa *combate a muerte*?

Mantiene su mirada fija en la carretera oscura que hay delante y aprieta el volante.

—Significa que el combate únicamente terminará cuando uno de los contrincantes esté muerto.

Pensé que había superado mi problema con los hombres vestidos de traje.

Me equivoqué.

En el momento en que entramos a la fábrica abandonada donde se llevará a cabo la pelea, me detengo en seco y me rodeo la cintura con las manos. El escenario del combate, con la jaula de alambre, está en el centro y ocupa menos de una décima parte del lugar. En el resto del espacio, que casi llena la sala, hay gente en grupos, charlando. Esta vez no hay sillas. Debe de haber al menos cien personas, la mayoría hombres. Algunos usan *jeans*, como Kostya y yo, pero la mayoría viste ropa elegante. Un escalofrío me recorre la espalda, las ganas de darme la vuelta y salir corriendo son tan fuertes que tengo que reunir todas mis fuerzas para no moverme de mi sitio.

—¿Asya? —pregunta Kostya a mi lado—. ¿Estás bien?

Cierro los ojos un segundo.

—Sí.

—No pareces estar bien, cariño. ¿Quieres…? —Estira su mano y está a punto de ponérmela en el hombro, no obstante, yo retrocedo rápidamente.

—Por favor, no me toques —murmuro—. Yo… no puedo manejarlo en este momento. Lo siento.

—¿Quieres marcharte?

Levanto la vista y lo encuentro mirándome con preocupación.

—Me quedaré.

—Bien. Permaneceremos aquí, en la parte de atrás. Si quieres irte, solo tienes que decírmelo. ¿Te parece bien?

Asiento con la cabeza y muevo la mirada hacia la jaula de combate. Está en la plataforma elevada como en los vídeos. Un hombre vestido con pantalón de vestir negro y camisa de botones sube al interior y anuncia el comienzo del combate, pero no puedo prestar atención a lo que dice porque estoy mirando horrorizada a un hombre gigantesco como una montaña que entra a la jaula. Me tapo la boca con ambas manos para ahogar un grito.

—¡Jesucristo!, ¡mierda! —maldice Kostya.

Ambos miramos boquiabiertos al oponente de *Pasha*

mientras camina dentro de la jaula, flexionando sus monstruosos músculos para los espectadores. Es más alto que cualquier otro hombre que haya visto.

—¿No es necesario que los peleadores estén igualados? —susurro. El tipo pesa por lo menos cuarenta y cinco kilos más que *Pasha*.

—Aquí no.

—¿Cuáles son las posibilidades de *Pasha*?

—¿Antes de lesionarse? Cincuenta-cincuenta.

—¿Y a-ahora? —balbuceo.

—No son buenas, Asya —afirma y me mira—. Vamos a esperar afuera.

Tengo tantas ganas de decir que sí, maldita sea. Ese monstruo probablemente matará a *Pasha*. Lo noté en el tono de voz de Kostya, y no creo poder verlo.

—Me quedaré —musito al mismo tiempo que *Pasha* entra a la jaula.

En el instante en que mis ojos se posan en él, las lágrimas que he estado conteniendo estallan, nublándome la vista. Me muerdo el dorso de la mano, enterrando mis dientes en la piel con todas mis fuerzas, como si el dolor físico pudiera disipar de alguna forma la sensación de pavor. *Pasha* camina hacia el centro de la jaula y se detiene, evaluando a su oponente. No puedo evitar compararlos. Mi *Pasha* es un tipo alto y muy musculoso, pero ¿comparado con la bestia que tiene enfrente? Dios mío, es imposible que *Pasha* pueda ganarle.

El árbitro se da la vuelta y sale de la jaula. Suena una campana. El oponente de *Pasha* lanza un puñetazo, apuntando a su cabeza. *Pasha* se agacha y le da una patada en el estómago con el pie izquierdo. El bruto ni siquiera se mueve. Vuelve a lanzar un puñetazo, esta vez al pecho de *Pasha,* quien salta a la derecha, pero no lo bastante rápido, y recibe el golpe en el costado. No puedo respirar al ver cómo el oponente se acerca a él. Sin embargo, antes de que el monstruo pueda atacar, *Pasha* hace un giro de trescientos sesenta, y el talón de su pie alcanza al tipo en el cuello. No obstante, el ataque de *Pasha* se queda corto cuando un gran puño lo golpea en la barbilla.

Se me escapa un grito al ver cómo *Pasha* cae de rodillas. Escupe sangre e intenta levantarse, pero la bestia le da una patada en la espalda. El golpe es tan fuerte que *Pasha* acaba tendido boca abajo en la colchoneta.

—Levántate —susurro contra mi mano.

El corazón se me sale del pecho cuando veo a *Pasha* levantarse, apoyándose en los codos. Puede hacerlo. Sé que puede hacerlo. Está a punto de levantarse cuando su oponente se acerca de nuevo y le da una patada en el riñón. *Pasha* vuelve a caer, rodando hacia un lado. Su cara apunta hacia la jaula de alambre, justo frente a nosotros. El público enloquece. Los aplausos, los coreos y los gritos son ensordecedores. Esa maldita bestia camina alrededor de la jaula, gritándole algo a la audiencia, riéndose.

—¡Acábalo! —grita alguien del público.

Observo fijamente a *Pasha,* esperando a que se levante, mas se queda ahí tumbado, sin moverse. Tiene que levantarse o el tipo lo matará. Salgo corriendo hacia la jaula.

Varias voces más se unen a la ovación.

—¡Acábalo! ¡Acaba con él!

La gente está parada demasiado apretujada, así que tengo que meterme entre ellos para llegar al frente. Hay cuerpos tocándome por todos lados, dándome ganas de vomitar, pero sigo empujando hacia delante.

—¡Acábalo! ¡Acaba con él! —vociferan a mi alrededor.

Finalmente llego a la jaula y mis ojos vuelven a encontrar a *Pasha*. Sigue tirado en el suelo, con su cara volteada hacia mí, aunque no creo que pueda verme.

—¡*Pasha*! —grito con todas mis fuerzas y salto hacia la jaula.

Pavel

—¡*Pasha*! —Escucho el grito de una mujer.

Parpadeo y enfoco a la persona que se aferra al exterior de la jaula de alambre.

—¡Levántate! —exclama, agarrando la estructura de malla con sus dedos—. ¡Por favor!

Cierro los ojos. Como si no fuera suficiente con soñar con ella todas las noches, ahora alucino con que está aquí.

—¡*Pasha*! ¡Mírame!

Cuando abro los ojos, sigue ahí, a escasos metros de mí. Si estiro la mano, podría tocar sus dedos, que están agarrados al alambre, sacudiéndolo.

—¡Por favor, amor! ¡Levántate!

Se me corta la respiración.

—¿*Mishka*?

Mientras observo, uno de los hombres de seguridad se acerca a Asya por detrás y, rodeándola por la cintura con su brazo, la retira de la jaula. Ella se aferra con más fuerza a la malla metálica.

—¡Ya viene! —gimotea Asya, mirando hacia algún lugar detrás de mí—. ¡Levántate!

El tipo sigue jalándola, gritando algo. Los dedos de Asya

resbalan de los eslabones. Cuando el guardia se la lleva, una rabia estalla en mi pecho. ¡Se atrevió a tocarla! ¡Le puso sus sucias manos encima a mi chica y tiene puesto un puto traje!

Ruedo sobre mi estómago y me levanto para mirar a mi oponente. Está parado en medio de la colchoneta, observándome, bloqueando mi salida. Me lanzo hacia él. Cuando mi codo golpea su diafragma, el aire sale de sus pulmones y se inclina hacia delante. Le agarro la cabeza y le doy un rodillazo en la cara. Se tambalea. Mi salto sobre su espalda es rápido. Una vez que tengo mis brazos rodeándole el cuello, aprieto, aplicando presión en la parte posterior de su cabeza y forzando al mismo tiempo mi antebrazo contra su tráquea. El tipo empieza a sacudirse, intentando lanzarme. Sin dejar de estrangularlo, le rodeo el torso con las piernas y clavo mis talones bajo sus costillas, apretando aún más mi agarre. Se agita unos segundos más antes de caer de rodillas y luego de costado, mientras yo sigo colgado de su espalda. Sigo apretando, escuchando los sonidos resollantes que salen de su garganta. De algún modo, los escucho a pesar del estruendo de la multitud que nos rodea. Su cuerpo se vuelve flácido. Y le rompo el cuello. La multitud enloquece. Me levanto y corro hacia la salida de la jaula.

El tipo de seguridad aún tiene a Asya y la lleva hacia la parte de atrás, donde otros tres matones sujetan a Kostya. Un gruñido letal sale de mi boca mientras corro hacia ellos. El mar de gente se abre y me deja pasar. En cuanto alcanzo al imbécil que sujeta a Asya, le rodeo el cuello con los dedos y aprieto. Su agarre sobre Asya se afloja. En cuanto se libera, suelto el cuello del hombre, lo agarro por detrás de la chaqueta y lo arrojo hacia un lado.

—*Pasha* —susurra Asya detrás de mí.

Volteo hacia ella y simplemente la miro. Pensé que nunca la volvería a ver, y tenerla aquí, parada frente a mí, me está destrozando por dentro.

—¿Qué haces aquí? —bramo. Estar tan cerca de ella otra vez me está matando.

Le tiembla el labio inferior mientras me observa. Le tiembla la mano que apoya sobre su delgado cuello. Intenta mantener su mirada fija en la mía, sin embargo, sus ojos se desvían hacia un lado cada dos segundos. Echo un vistazo a la izquierda, hacia donde ella sigue mirando, y me doy cuenta de que algunas personas del público se han acercado y están de pie a unos pocos metros. La mayoría son hombres elegantemente vestidos. ¡Con trajes y corbatas, maldición!

—Mierda, nena —murmuro y doy un paso hacia delante, envolviéndola entre mis brazos y bloqueando su vista de la multitud—. Vamos afuera. ¿De acuerdo?

Ella levanta su cabeza y, después de un segundo de indecisión, pone sus manos sobre mi pecho. Cierro mis ojos e inhalo profundamente. Es muy duro que me esté tocando, tenerla tan cerca, sabiendo que tendré que verla marcharse de nuevo, para volver a los brazos de ese hijo de puta engreído al que vi besándola. Pero ya llegué a la conclusión de que soy un bastardo egoísta, y voy a aprovechar esta oportunidad para volver a sentirla entre mis brazos, aunque sea por poco tiempo.

Abro los ojos y la miro.

—¿Quieres montarte?

La sonrisa que se dibuja en su rostro mientras me acaricia el pecho con sus manos es como un cuchillo que se clava en mi corazón. Me agacho y la cargo en mis brazos. Los brazos de Asya me envuelven el cuello como tantas otras veces.

—Suéltenlo —ordeno por encima de mi hombro a los tipos que aún retienen a Kostya y cargo a Asya hacia afuera.

Asya

No consigo saciarme de su aroma. Sí, también hay sudor y sangre, pero debajo de todo eso, está el olor que asocio con la felicidad. Seguridad. Amor. Hogar. *Pasha.* Aprieto aún más mis piernas y mis brazos alrededor de él, entierro mi cara en el pliegue de su cuello e inhalo. Lo extrañé demasiado.

Una puerta se cierra detrás de mí y *Pasha* sube al asiento trasero del sedán de Kostya. Incluso cuando está sentado, me niego a soltarlo y me pego más a su pecho. Subo mi mano por su nuca, pero en lugar de sus mechones de cabello rubio oscuro, unos cortos cabellos me hacen cosquillas en la piel de mi palma.

—¿Por qué te afeitaste el cabello? —indago junto a su oído y rozo con un beso el costado de su cuello.

—Porque alguien podría haberlo usado para sacar ventaja durante una pelea —responde con frialdad.

Retiro mis manos del cuello de *Pasha* y me inclino hacia atrás para mirarlo. Su mano izquierda está en mi espalda, acariciándome por encima de la tela de mi camiseta.

—¿Por qué estás aquí, Asya? ¿Kostya te hizo venir?

—No —replico y agarro su cara con mis manos—. Yo hice que Kostya me trajera aquí.

—¿Por qué?

Miro sus tristes ojos grises y me inclino hacia delante, presionando mis labios contra los suyos. Tiene la boca apretada y no reacciona.

—Porque te amo —confieso contra sus labios rígidos.

El cuerpo de *Pasha* se tensa bajo el mío.

—¿Y qué pasó con tu novio?

—¿Qué novio, amor?

—No hace falta que mientas. Lo sé.

Me enderezo sobre su regazo y lo miro confundida.

—¿De qué estás hablando?

Aprieta los dientes.

—Fui a verte el mes pasado. Los vi besándose frente a tu casa, *Mishka*.

¿Qué demonios? Eso no tiene sentido. Hoy es la primera vez que salgo de casa desde que volví a New York. No tenía ganas de ver a nadie ni de ir a ningún lado. A no ser que…

Sacudo la cabeza, tomo mi mochila y saco mi teléfono.

—¿Esta es la *yo* que viste besando a un tipo? —pregunto y giro la pantalla hacia él.

Pasha baja la mirada hacia el teléfono, luego me lo arrebata de la mano y observa más de cerca la foto en la pantalla.

—Tienes el cabello más corto aquí. —Pone sus ojos en mí y toma un mechón de mi cabello entre sus dedos—. Y estaba más corto cuando te vi.

—La mujer que viste era Sienna. *Mi hermana*. —Sonrío—. Somos gemelas idénticas. Pensé que te lo había dicho.

Pasha suelta mi cabello y me agarra de la nuca.

—¿No eras tú?

—Claro que no era yo. Ni siquiera puedo soportar la idea de tocar a otro hombre que no seas tú.

Aprieta la mandíbula y apoya su frente contra la mía.

—Te quedarás —suelta entre dientes—. Sé que soy egoísta. Y sé que te mereces algo mejor. Pero me importa una mierda, Asya. Te quedarás. Y si alguien intenta alejarte de mí, lo mataré allí mismo.

—Si vuelves a ignorar una de mis llamadas, no sabrás qué te golpeó.

Pasha choca su boca contra la mía. Su mano se acerca a mi cara y me roza la mejilla con sus dedos llenos de callos. Su brazo alrededor de mi espalda me aprieta la cintura, casi aplastándome. Tomo su labio inferior entre mis dientes y lo muerdo, luego le beso la barbilla hasta el cuello y vuelvo a inhalar su aroma. Cuando estoy saciada, vuelvo a su boca y dejo que sus labios devoren los míos. No se parece a ningún otro beso que hayamos compartido. Amor. Rabia. Dolor. Arrepentimiento. Anhelo. Recuperación. Hay mucho, y al mismo tiempo, no hay suficiente.

—¿A dónde vamos, *tortolitos*? —Kostya pregunta desde el asiento del conductor.

—A casa —replica *Pasha* contra mis labios.

—A casa. —Asiento con la cabeza.

—Puedo caminar —anuncio mientras *Pasha* me carga al interior de su edificio. No me dejó moverme de su regazo en todo el camino.

—Lo sé. Pero no voy a soltarte —declara mientras se acerca al guardia de seguridad del vestíbulo para pedirle una llave de repuesto. El pobre hombre se sorprende al ver a *Pasha* vestido únicamente con sus *shorts* de combate, ensangrentado, con los pies descalzos y conmigo colgada de él.

Aprieto más a *Pasha* y entierro mi cara en su cuello,

donde permanezco hasta que llegamos a su apartamento. Me lleva directamente al baño de su habitación y me baja junto al lavamanos.

—Necesito ducharme —pronuncia.

—De acuerdo. —Concuerdo, me quito mis lentes y procedo a quitarme la ropa. *Pasha* se quita los *shorts* y los bóxers y comienza a retirarse las vendas de su mano izquierda. Me acerco y me encargo de ello, revelando los nudillos ensangrentados que tiene debajo.

—¿Seguirás peleando? —susurro, rozando su piel lesionada—. No creo que pueda soportar verte entrar de nuevo en esa jaula, *Pasha*.

Su mano toma mi mejilla e inclina mi cabeza hacia arriba.

—Entonces no lo haré.

Estoy de acuerdo y miro la férula de su mano derecha.

—¿Puedes mojarla?

—No —responde y la desata.

Cuando se quita la férula, noto algo nuevo tatuado en el dorso de su mano, pero no tengo tiempo de observarlo con detalle porque me agarra por la cintura y me lleva al interior de la ducha.

—Déjame verte la cara. —Le hago un gesto con la mano para que se agache. *Pasha* abre la regadera, pero en lugar de agacharse, se pone en cuclillas frente a mí. El agua cae sobre él, pequeños riachuelos ruedan por su rostro lleno de moretones. Tiene un aspecto horrible.

—¿Por qué lo hiciste? —inquiero, rozando con la punta de mis dedos los cortes y moretones que tiene por toda la cara—. ¿Por qué volviste a pelear después de tantos años?

—Esperaba que si me golpeaban la cabeza suficientes veces, me olvidaría de ti. No funcionó, *Mishka*.

—Qué bueno. —Tomo el jabón de la repisa y me enjabono las manos.

Pasha no se mueve de su posición en cuclillas, se limita a mirarme con la cabeza inclinada hacia arriba mientras le limpio la sangre y la mugre de su perfil. Intento ser lo más cuidadosa posible, sobre todo con los moretones de la barbilla y debajo del ojo. Cuando termino, continúo con su cabello corto.

—Ahora el resto —comento.

Se levanta y deja que le lave el pecho y la espalda. Tiene más moretones, en el costado, el estómago y algunos en la espalda, visibles incluso bajo sus tatuajes.

—Por Dios, amor. —Rozo con mi mano una marca morada que se ve muy mal en su estómago.

Sus brazos están un poco mejor. Le lavo el izquierdo y paso al derecho, empezando por el bíceps y bajando hasta la muñeca, que está ligeramente hinchada. Le enjabono la piel con mucho cuidado, luego pongo su mano bajo la regadera y veo cómo el agua se lleva la espuma y deja al descubierto el nuevo tatuaje. La imagen es una rama cubierta de espinas, hecha con tinta negra, con sus afiladas espinas apuntando en todas direcciones. Encima hay un pájaro rojo volando con sus suaves alas extendidas. Es hermoso y triste al mismo tiempo. Pongo la punta de mi dedo sobre el dibujo y trazo la forma del pájaro.

—Eres tú —confiesa *Pasha* y me acaricia la mejilla con el dorso de su otra mano.

—¿El pájaro?

—Sí.

Levanto la vista del tatuaje y veo que sus ojos me observan.

—Solo hay un pájaro —añado—. ¿Dónde estás tú?

—No estoy ahí. Solo tú.

—¿Por qué?

Inclina su cabeza para susurrarme al oído.

—Porque no quedó nada de mí después de que te fuiste volando, *Mishka*.

Aprieto fuertemente mis ojos, pero aun así se me escapan las lágrimas. El agua de la ducha cae en cascada sobre nosotros, recordándome el día en que entró a la regadera completamente vestido. Rodeo su cuello con mis brazos y aprieto mi mejilla contra la suya.

—No debiste abandonarme.

—Lo sé. —Su brazo me rodea y me aprieta contra él—. Quería algo mejor para ti.

Coloco mi mano entre nuestros cuerpos y envuelvo su dura longitud con mis dedos. En cuanto comienzo a acariciarlo, se hincha aún más.

—Ven conmigo. —Agarro su mano. Lo saco de la ducha y me sigue hasta la habitación. Cuando llegamos a la cama, le doy un ligero empujón en el pecho hasta que se recuesta.

—No hay nadie mejor que tú, *Pasha* —aseguro mientras me subo a la cama y me siento a horcajadas sobre sus piernas—. Eres el único hombre que quiero.

Tomo su miembro en mi mano y lo inclino para lamer la punta. La mano de *Pasha* se levanta y agarra un puñado de mi cabello.

Mientras chupo, lentamente al principio, luego más rápido, su agarre en mis mechones se mantiene firme. Su respiración se vuelve agitada, así que comienzo a lamer. Me encanta esta sensación de euforia que me recorre el pecho cuando veo cómo pierde el control. Nunca habría imaginado que disfrutaría dándole sexo oral a un hombre, ni lo mucho que me excitaría. Pero este es mi *Pasha*. Y quiero hacerlo todo con él. Vuelvo a metérmelo en la boca, hasta el fondo, y gruñe mientras su semen caliente estalla en mi garganta. Me lo trago todo.

Su pecho sube y baja rápidamente cuando me subo encima de él. Su mano sigue enredada en mi cabello, aferrándose a él como si fuera su salvavidas.

—Te amo —susurro—. Muchísimo.

Me mira fijamente unos instantes y luego aprieta los labios con fuerza.

—¿Estás segura, Asya?

—Estoy segura. —Me inclino y beso su frente—. ¿No te das cuenta?

Me suelta el cabello deslizando su mano alrededor de mi cuello para sujetarme la cara e inclinar mi cabeza hacia arriba. Espero verlo sonriendo, pero la expresión de su rostro es seria.

—Eres muy joven, nena. —Empieza a decirme mientras me acaricia la mejilla con su pulgar—. ¿Y si conoces a alguien un día y decides que esto… nosotros… no *es* lo que quieres? No creo que pueda sobrevivir ver cómo te marchas otra vez, *Mishka*.

Lo contemplo durante un minuto, estudiando sus labios marcados, su nariz torcida y sus ojos de color gris metálico que a veces dicen más que sus palabras.

—¿Qué es el amor para ti, *Pasha*? —Curioseo y acaricio su cara con el dorso de mis dedos.

—La sensación de no estar nunca lo suficientemente cerca. —Su otra mano se acerca a mi nuca, apretando ligeramente—. Tengo la necesidad de absorberte de alguna manera en mi pecho, para que siempre estés conmigo. A salvo de cualquier daño. Solamente mía. Para siempre.

Abro la boca para decir algo, sin embargo, me calla estrellando sus labios contra los míos.

—Te quiero hasta el punto de volverme loco, Asya —susurra contra mi boca—. Y realmente necesito que estés segura. Por favor.

Le muerdo el labio inferior y luego recorro su cuello con besos hasta llegar a su corazón. Puedo sentir cómo late con fuerza. Con un último beso sobre su pecho, me levanto de encima de su cuerpo y me dirijo al armario. Abro el cajón y deslizo mis dedos sobre las corbatas cuidadosamente dobladas hasta llegar a la de color vino oscuro. No es exactamente roja, pero se acerca bastante. La saco y vuelvo a la habitación. Los ojos de *Pasha* me siguen mientras me dirijo a la cama, con la mirada fija en la corbata que sostengo.

—¿*Mishka*? —Se endereza hasta sentarse en el borde de la cama—. ¿Qué haces?

—Quiero enseñarte lo que es el amor para mí. —Me coloco entre sus piernas y tomo su mano, poniéndola en mi pecho, justo sobre mi corazón—. Nunca me preguntaste por qué me asustaban las corbatas. Uno de los primeros clientes usó su corbata para estrangularme mientras me cogía. Pensé que iba a morir esa noche —confieso y levanto la mano que sujeta la corbata, luego envuelvo la tela sedosa alrededor de mi cuello.

—Asya, no. —*Pasha* intenta agarrar la corbata, no obstante, tomo sus dedos entre los míos y vuelvo a poner su mano sobre mi pecho.

—¿Sientes que mi corazón late más rápido de lo normal?

—Muevo su mano un poco hacia arriba y a la izquierda—. No. ¿Mi respiración se está volviendo irregular? No es así.

Con mi mano libre, tomo un lado de la corbata que está colgando libremente sobre mi parte frontal, la envuelvo alrededor de mi cuello dos veces y meto el extremo en la mano de *Pasha* que descansa sobre mi clavícula.

—La semana pasada intenté ayudar a Arturo con su corbata. Adoro a mi hermano y sé que nunca haría nada para lastimarme. Me temblaban tanto las manos que le pedí que lo hiciera él mismo. —Levanto mi mirada para encontrarme con la de *Pasha*—. ¿Ves que mis manos estén temblando en este momento?

—No, nena —contesta con voz entrecortada.

—Cada parte de mí está enamorada de ti, *Pasha*. Mi cuerpo. Mi mente. —Envuelvo sus dedos alrededor del extremo de la corbata y, manteniendo mi mano sobre la suya, la jalo. El material sedoso me aprieta el cuello—. Incluso mi subconsciente sabe lo grande e incondicional que es ese amor. Así que, sí. Estoy segura.

Suelto su mano y le sostengo la mirada mientras me desenreda la corbata del cuello. Lo hace despacio, con cuidado de no apretar la tela, y la tira al suelo.

—De todas formas, voy a deshacerme de todas ellas. —Me toma en sus brazos y me arroja sobre la cama.

Reboto dos veces, riéndome. *Pasha* se sube a la cama, pero en lugar de colocarse encima de mí, me toma del tobillo y levanta mi pierna hacia su boca, besándome los dedos de los pies. Suelto una risita e intento zafarme de él, mas no me suelta.

—¡Para! —chillo.

—Eso no pasará —decreta y acerca sus labios al arco de mi pie.

Cuando sus labios encuentran el punto supersensible del lado interior de mi tobillo, apoyo mi otro pie en su pecho e intento empujarlo sin éxito.

—¡Me haces cosquillas! ¡*Pasha*! ¡No, ahí no!

—En todas partes, *Mishka*. Pienso cubrir todo tu cuerpo de besos. Todos los días.

Recorre mi pierna con besos hasta llegar a mi sexo. Siento su cálido aliento mientras me lo besa suavemente antes de enterrar su cara entre mis piernas y chuparme el clítoris. Sus manos se deslizan por mis piernas y me levantan el trasero. Me atraganto al respirar y me agarro a la cabecera por encima de mi cabeza, aferrándome con todas mis fuerzas a la par que él desliza su lengua dentro de mí. Me tiemblan los muslos y los brazos como si tuviera fiebre, y mi mente se queda en blanco, concentrada únicamente en la sensación de su lengua dentro de mí. De pronto, su boca desaparece, pero un instante después, siento su longitud entrando en mí. Ni siquiera está completamente adentro y yo ya estoy a punto de venirme.

La mano de *Pasha* me agarra la nuca. Abro los ojos y veo que se cierne sobre mí, tan imponente y con aspecto salvaje, con tanto tatuaje. Mi rey de la montaña. El hombre más hermoso, por dentro y por fuera.

Pavel

No puedo apartar mis ojos de los de Asya. Es como si me tuvieran esclavizado. Aún me cuesta creer que sea mía. Lentamente, la saco y vuelvo a penetrarla, lo más profundamente posible. Un pequeño gemido sale de sus labios mientras sus delicados brazos se tensan y agarran la cabecera de la cama. Los sonidos que emite son adictivos. La saco de nuevo, la rodeo con mi brazo y le doy la vuelta.

—Ojalá tuviera palabras para explicarte lo mucho que te amo —admito junto a su oído y beso su oreja.

Dejo que mis manos se deslicen por su espalda mientras la recorro lentamente con besos hasta llegar a su trasero. Su piel es tan suave que no parece real, y siento una ligera punzada de arrepentimiento al clavarle los dientes en la nalga. Luego beso ese punto y me coloco entre sus piernas, penetrándole el coño, absorbiendo cada uno de sus jadeos y gemidos. Muevo mi mano izquierda más abajo, entre sus piernas, y le acaricio el clítoris. Su cuerpo tiembla bajo mis caricias mientras mi mano derecha recorre su espalda. Ojalá pudiera tocarla por todas partes al mismo tiempo. Me muevo dentro de ella a un ritmo constante durante unas cuantas embestidas, y luego aumento el ritmo. Asya baja su cabeza hacia la almohada y levanta más el trasero.

—¡Más fuerte! —grita y vuelve a agarrarse de la cabecera.

La agarro de las caderas y la penetro con fuerza. Sus paredes se estremecen alrededor de mi polla y, cuando la escucho gemir mi nombre al correrse, pierdo el control. La cabecera golpea contra la pared mientras la penetro como un hombre poseído.

—¿Eres mía, *Mishka*? —suelto entre embestidas. La necesidad de escucharla decirlo me está volviendo loco.

—Siempre. —Exhala Asya.

Hay tantas cosas que desearía haber tenido en mi vida, pero nada se compara con que sea mía. Mientras la tenga a ella, no necesito nada más.

—¡Mía! —Me corro con un rugido, derramando mi semilla dentro de ella.

Arrimo a Asya contra mi cuerpo y la cubro con las sábanas. Hace calor en la habitación, pero siempre me preocupa que tenga frío.

—¿Tu familia sabe que estás aquí?

—Sí —confirma contra mi cuello.

—¿Y saben que no volverás a casa? —pregunto.

He estado temiendo este momento. No quiero pelearme con su hermano, pero no dejaré que se la lleve otra vez. Jamás. Y si tengo que darle una paliza para que lo entienda, que así sea. ¿Qué pasará si no puede soportar estar separada de ellos?

—Solo tengo un hogar. —Levanta su cara para mirarme directamente a los ojos y sonríe—. Tú. *Tú* eres mi hogar ahora.

Algo pasa dentro de mi pecho en ese momento. El corazón me da un vuelco y luego siento cómo algo se acomoda en su lugar. Finalmente, los bordes rotos encajan.

Estoy sacando los tazones cuando un beso se posa en mi nuca.

—Tengo algo para ti —comenta *Pasha*.

Me doy la vuelta y miro confundida las cajas que sostiene en sus brazos.

—¿Nuevos sabores de cereal?

—Sí. —Sonríe, pero parece cauteloso, y coloca las cajas sobre el mostrador. Hay cinco en total.

—*Umm*… bien —resoplo—. ¿Quieres elegir?

—No. Quiero que tú elijas. —Se asegura de que las cajas estén perfectamente alineadas y me mira—. ¿Cuál?

Me río y miro los paquetes de cereal. Ahora rara vez tengo problemas para tomar decisiones, no obstante, él sigue asegurándose de que practiquemos de vez en cuando. La forma en que *Pasha* continúa ayudándome es increíble. Incluso me convenció para que viera a la psiquiatra que Doc nos había recomendado, y ella también ha sido estupenda. Nuestras sesiones son difíciles, pero aprecio su atención y su apoyo.

Estiro una mano y tomo la caja con fresas deshidratadas.

—¿Esté está bien para ti? —Levanto una ceja.

—Sí. —Se inclina y me roza los labios con un beso—. Ahora, ábrela.

Sacudiendo la cabeza, comienzo a abrir la caja, preguntándome por qué hace tanto alboroto por el cereal. Rompo la tapa y meto la mano para sacar la bolsa cuando mis dedos tocan algo duro y aterciopelado. El corazón me late a mil por hora cuando saco una cajita roja.

—¿*Pasha*? —exclamo, mirando fijamente la caja de joyería—. ¿Qué es esto?

—No lo sé. Veamos. —Toma la caja de mi mano y la abre.

Me quedo boquiabierta cuando saca un anillo de oro. Un diamante amarillo de corte resplandeciente brilla bajo las luces del techo. Mi mano tiembla ligeramente cuando él la levanta y me besa la punta de los dedos.

—¿Te casarías conmigo, *Mishka*?

—Sí —susurro.

Pasha sonríe y desliza el anillo en mi dedo. Suelto un sollozo y salto a sus brazos, hundiendo mi cara en el pliegue de su cuello.

—¿Qué habrías hecho si hubiera elegido la caja equivocada? —Curioseo.

—Nunca habrías elegido la equivocada, nena.

—Podría haber tomado el cereal crujiente.

Me acaricia la espalda con la palma de la mano y se ríe.

—Odias los cereales crujientes.

—Sí, pero ¿y si hubiera decidido darle otra oportunidad?

Se encoge de hombros.

Me aparto y lo miro fijamente mientras me doy cuenta de algo.

—No lo hiciste.

—¿Qué?

Entrecierro mis ojos hacia él.

—Bájame.

—¿Por qué?

—Tengo que revisar algo.

Cuando mis pies tocan el suelo, volteo hacia el mostrador donde están alineadas las otras cuatro cajas de cereal. Tomo la primera, la de miel, y la abro. Encima de la bolsa de cereal hay una caja de terciopelo rojo. Cuando la abro, encuentro un anillo idéntico al que llevo en el dedo sobre un cojín de seda blanca. Dejo la caja con la joya en la isla y agarro la siguiente caja de cereal. Y la siguiente.

La caja de cereal crujiente la dejo para el final. Nunca habría elegido ese, *Pasha* lo sabe muy bien, pero cuando la abro, en esa también hay una caja de joyería. La pongo sobre el mostrador junto a las otras cuatro. Había escondido un anillo en cada una.

Siento que unos brazos me rodean la cintura cuando *Pasha* se inclina sobre mí por detrás, pero no volteo. No puedo apartar mi mirada de las cuatro cajas de joyas adicionales que contienen anillos idénticos.

—¿Por qué? —susurro.

Me aprieta con fuerza.

—Porque necesitaba que entendieras.

—¿Qué, *Pasha*?

—Que por lo que a mí concierne, no puedes tomar una decisión equivocada, nena. —Un beso aterriza en la parte superior de mi cabeza—. Aunque simplemente sea elegir el sabor del cereal.

Un mes después

—¿Y si me pongo histérica? —indago, con la voz entrecortada.

Sienna levanta la vista del zapato que me está ayudando a atar.

—No te pondrás histérica, Asya.

—Sí, lo sé... —Levanto la mano y me muerdo una uña—. Pero ¿y si lo hago? Hay como... doscientas personas ahí afuera.

Sienna se endereza, me aparta la mano de la boca y me agarra de los hombros.

—No te pondrás histérica. Saldrás ahí afuera, te pararás junto al hombre que amas y que está loco por ti, y tendrás el mejor día de tu vida.

—Lo sé, pero...

—Sabes, estuve pensando —interrumpe—. Cuando tú y *Pasha* decidan tener hijos, ¿qué tal si me dejan elegir sus nombres? Su tía se asegurará de que sean muy especiales.

Miro horrorizada a mi hermana. De ninguna manera la dejaría elegir los nombres de mis hijos. Me arriesgaría a que les pusiera nombres de barras de chocolate o de algún otro dulce si lo hiciera. O algo peor.

Sienna me mira y sonríe.

—Relájate. —Suelta una risita—. Estoy bromeando. Pero admítelo, salir ahí afuera frente a toda esa gente suena menos aterrador ahora.

—Desde luego que sí —resoplo.

—Todo saldrá bien. No te preocupes.

Me arreglo el vestido por enésima vez.

—Quizá debería haber elegido un vestido blanco. ¿Y si la gente…?

—Es el día de tu boda. Puedes ponerte lo que te dé la gana, Asya. —Mira mi vestido de encaje amarillo brillante y sonríe—. ¡Me encanta! Pareces salida de un cuento de hadas.

—¿Crees que a *Pasha* le gustará?

Sienna toma mi cara entre sus manos y se inclina hacia mí.

—Ese hombre está tan perdidamente enamorado de ti que podrías entrar ahí vestida con un trapo de cocina y te comería con los ojos.

Me río.

—No puedo creer que vaya a casarme.

—Yo tampoco, cariño —suspira—. Vamos. Arturo está esperando. Y estoy estropeando mi maquillaje.

Sienna me aprieta la mano con fuerza mientras salimos de la habitación y nos apresuramos por el pasillo del hotel hacia la gran puerta de madera al fondo, donde nos espera Arturo. Dejándome con nuestro hermano, Sienna se mete en el interior del salón donde se celebrará la boda, cerrando la puerta detrás de ella. Unos momentos después, las primeras notas de una melodía llegan a mis oídos.

No es la marcha nupcial.

—¿Estás lista? —pregunta Arturo.

Asiento con la cabeza, intentando controlar mi respiración.

La música sube de volumen mientras la puerta que tenemos frente a nosotros se abre lentamente. Es *Moonlight Sonata*. Entramos al salón.

Pasha está de pie al final del pasillo, sus ojos clavados en los míos, siguiendo cada uno de nuestros pasos. Mientras Arturo me guía hacia delante, un pensamiento cruza mi cabeza: algo está fuera de lugar. Teniendo en cuenta que soy un manojo de nervios, no es de extrañar que me dé cuenta cuando casi hemos llegado al final del trayecto.

Parpadeo confundida. *Pasha* está vestido con unos *jeans* negros y una camiseta negra. Sabe que no me molesta cuando usa traje, así que ¿por qué se puso *jeans*? Volteo a ver a mi hermano, recorriendo con la mirada sus *jeans* y su camiseta tipo Henley hasta llegar a su rostro.

—Tu ruso estableció el código de vestimenta para la boda —explica mientras sigue caminando.

Respiro profundamente y miro a los invitados sentados a nuestra izquierda. El corazón me da un vuelco en el pecho. Miro también hacia el lado derecho. Es lo mismo. Todos los hombres visten *jeans* y camisetas de manga larga o corta. Incluyendo a nuestro Don, que está sentado en la primera fila con su esposa. Nunca en mi vida había visto a Salvatore Ajello en camiseta. De hecho, no creo que nadie lo haya visto. Excepto quizá su esposa.

Desvío la mirada hacia *Pasha* y lo veo sonreír, y ya no puedo contener más mis lágrimas. Así que dejo que caigan por mis mejillas y sonrío de oreja a oreja mientras mi hermano me entrega a mi futuro esposo.

Pasha levanta mi mano hacia su boca y me besa los dedos.

—¿Todo bien, *Mishka*?

—Sí —contesto—, todo es perfecto, *Pashenka*.

Estamos caminando por la fila del bufet cuando suena el teléfono de Arturo. Volteo a un lado y le paso la cuchara para servir al hombre mayor que está a mi lado cuando noto la tensión en la voz de Arturo.

—¿Cómo es que no encontraron nada? Han pasado meses.

Escucha a la persona al otro lado de la línea durante unos instantes y luego aprieta sus sienes.

—Está bien.

—¿Qué pasó? —pregunto.

—Todavía no saben por qué la casa de Rocco se quemó de la forma en que lo hizo, pero el informe mostrará una supuesta fuga de gas. No se encontraron restos porque todo quedó reducido a cenizas y el edificio se derrumbó sobre sí mismo. Según las imágenes de seguridad antes de que se cortara la señal, Rocco, Ravenna y Alessandro estaban adentro. Sin más evidencias, cerrarán la investigación y los declararán muertos a los tres. —Se guarda el teléfono en el bolsillo y mira por encima de su hombro—. Tengo que decírselo al jefe.

Me quedo observando a Arturo mientras se aleja cuando escucho una risita a mi lado. Miro al tipo canoso que está junto a mí. Está apilando carne en su plato mientras una enorme sonrisa se dibuja en su rostro. ¿Qué demonios le pasa? Tres personas murieron, ¿y a él le parece gracioso?

—¡Carajo, Albert! ¿Ya acabaste? —El tipo enorme y rubio que está al otro lado le da un codazo. Creo que se llama Sergei—. Anda, muévete ya, que aquí hay más gente que quiere comer. ¿Y por qué te ríes como una maldita hiena?

—Por ningún motivo. —El viejo sacude la cabeza y se va, cantando algo en voz baja. Suena como… *Poker Face* de Lady Gaga.

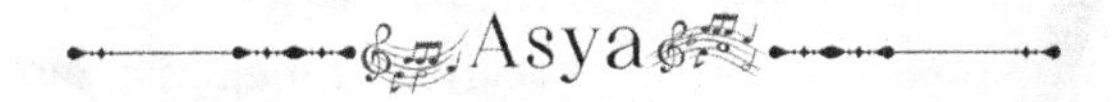

Cinco años después

Uno. Dos. Tres. Cuento mentalmente mientras miro fijamente el palito de plástico que tengo en la mano. Una línea roja aparece en la pequeña pantalla. Cuatro. Cinco. Seis. Una sola línea.

Me siento sobre la tapa del inodoro y miro al techo. Después de graduarme del conservatorio de música, decidí ofrecer clases de piano gratuitas a mujeres que habían sufrido abuso sexual. Esperaba que la música les ayudara a sanar. Ayer, mientras repasaba las citas que tenía agendadas para la próxima semana, me di cuenta de que mi periodo lleva casi un mes de retraso. Desde que terminé la escuela, *Pasha* y yo acordamos que debía dejar de tomar las píldoras anticonceptivas para poder empezar a intentar formar una familia. Sabía que mi ciclo se volvería irregular después de eso, así que no tener un periodo no significaba necesariamente que estuviera embarazada. Podía ser simplemente un efecto secundario.

—¿Asya? —La voz de *Pasha* viene del otro lado de la puerta del baño.

—Es negativo —contesto, intentando sonar despreocupada. Para ocultar mi decepción. Secretamente esperaba que fuera positivo. La sola idea de tener el bebé de *Pasha* me hacía querer chillar de alegría. Estaba acurrucada junto a *Pasha* cuando le dije que tenía que hacerme la prueba de embarazo. Su cuerpo se quedó quieto como una piedra durante un momento y luego me apretó contra él con tanta fuerza que apenas podía respirar.

La puerta se abre y *Pasha* entra al baño.

—No pasa nada. —Me acaricia la mejilla y toma la prueba de mi mano. La expresión de su cara parece relajada, pero lo veo en sus ojos, él también tenía la esperanza.

—Todavía eres joven. Cuando… —Mira el palito de plástico que tiene en la mano y se tensa—. *Mishka*. ¿Cuántas líneas debe de haber?

—Una. Significa negativo.

—Pero hay dos.

Salto del inodoro y le arrebato la prueba de las manos.

—Pero si solo había una. ¡Dame la caja!

Pasha me pasa la caja y leo rápidamente las instrucciones hasta que llego a la parte en la que dice que hay que esperar al menos cinco minutos. Cuando las leí por primera vez, pensé que decía cinco segundos.

—Es positivo —digo entre dientes y miro a *Pasha*. Me mira intensamente—. Vamos a tener un bebé.

Lentamente, su mirada se desliza por mi pecho hasta mi estómago. Respira profundamente y se arrodilla frente a mí. Sus enormes manos tiemblan cuando toma el dobladillo de mi *top*, lo levanta y me besa justo por encima del ombligo.

Luego apoya su mejilla en mi vientre y, rodeándome con sus brazos, comienza a tararear una canción de cuna.

Pavel

—¡Ya te dije que no hago exámenes gineco-obstétricos! —espeta Doc.

—¡Mañana tenemos cita con un ginecólogo! —bramo y lo empujo para que se aleje de la puerta y Asya y yo podamos entrar a su consultorio—. Pero necesito saber que todo está bien. Ahora.

—Estás exagerando.

—Me importa una mierda. —Con mis manos agarrando suavemente a Asya por debajo de los brazos, la subo a la camilla—. Puedes empezar.

Doc sacude la cabeza y toma asiento, acercando la máquina de ultrasonidos hacia él.

Mis ojos se concentran en la escena que tengo ante mí mientras observo cómo unta una sustancia viscosa en el vientre de Asya y mueve el aparato por encima de la cintura de sus *leggings*. Lo desliza de izquierda a derecha y luego lo gira un poco, sin perder de vista el monitor y presionando algunos botones de la máquina.

—Yo diría que estás en la sexta semana. Ambos parecen estar perfectamente bien —afirma, y luego mira a Asya—. Y tú también pareces estar bien.

Parpadeo confundido.

—¿Ambos? ¿Ambos, Asya y el bebé?

—No. Los dos bebés.

Mi cabeza se mueve bruscamente hacia un lado, mirando

fijamente a Asya, que está mirando el monitor con una enorme sonrisa en su rostro.

—¿Estás seguro? —musita.

—Sí —confirma Doc.

Al mismo tiempo que yo digo:

—¡No!

Ambos voltean a mirarme.

—Hazlo de nuevo. —Señalo con el dedo a la máquina de ultrasonidos mientras por dentro me invade el pavor.

—¡Estoy bastante seguro de que sé contar! —exclama Doc y golpea la copia impresa del ultrasonido contra mi pecho, señalándolo con su otro dedo—. Uno. Dos.

Agarro la parte delantera de su camisa y me acerco a su cara.

—¡De nuevo!

—¿*Pasha*? —Asya me agarra del antebrazo—. ¿Qué sucede?

Suelto a Doc y tomo su cara entre mis manos.

—Es peligroso, *Mishka*. Y tú eres tan pequeña. ¿Y si te pasa algo?

Asya presiona su dedo sobre mis labios.

—Estaré bien. Hay gemelos en casi todas las generaciones de mi familia, y nadie ha tenido nunca ningún problema. No entres en pánico.

—No estoy entrando en pánico. Para nada. —Miro a Doc por encima de mi hombro—. ¿Debería ser ingresada en un hospital? La llevaré directamente allí.

—*Pasha*. —Asya jala mi camiseta.

—¿Puede caminar? —continúo—. No, mejor la llevo cargando hasta allá.

—¡No iré a un hospital, maldita sea! —Asya revira en

mi oído, me agarra de la barbilla y me gira la cabeza para que la mire—. Démosle las gracias al doctor y volvamos a casa.

—*Mishka*…

—Yo no te aconsejaría enfurecer a una mujer embarazada de gemelos, *Pasha* —interviene Doc.

—No lo hará. —Asya se inclina hacia delante y presiona sus labios contra los míos—. Relájate. Todo estará bien.

FIN

Estimado lector

¡Muchísimas gracias por leer la historia de Asya y Pavel! Espero que te animes a dejar una reseña para que los demás lectores sepan qué te pareció ***Almas Destrozadas***. Aunque solo sea una frase, es una gran ayuda. Las reseñas ayudan a los autores a encontrar nuevos lectores y a otros lectores a encontrar nuevos libros que les encanten.

El siguiente libro de la serie es ***Sueños Quemados***, que trata sobre Alessandro (Az) y Ravenna. Es una historia de venganza y amor prohibido entre un guardaespaldas y la esposa de un Capo. Los lectores ya han preguntado si hay infidelidad de por medio, y la respuesta es complicada. Dado que Ravenna está casada cuando inicia su relación con Alessandro, la respuesta fácil sería sí, ella engaña a su esposo. Sin embargo, la situación es más compleja de lo que parece a simple vista, ya que el esposo de Ravenna es extremadamente abusivo y violento, y ella intenta dejarlo antes de que Alessandro entre en escena. Cuando Ravenna y Alessandro finalmente comparten su primer beso, no hay nada entre ella y su esposo. Así que, si la pregunta es si hay infidelidad entre los protagonistas, la respuesta sería no.

Sueños Quemados

Alessandro

He esperado ocho largos años,
planeando pacientemente mi venganza.
Ahora, lo he encontrado,
y lo haré pagar.
Me contrató para cuidar a su esposa,
garantizar su seguridad.
Y planeo matar a la misma mujer que juré proteger.
Sufrirá como yo lo hice,
y cuando termine con él, suplicará piedad,
piedad, que no le daré.

Ravenna

Me observa con odio en su oscura mirada,
sus ojos tan negros como un abismo,
siguiendo cada uno de mis movimientos.
Esos ojos lo ven todo;
No puedo escapar de esa mirada silenciosa,
o esconder los moretones que cubren mi cuerpo,
cada marca es una señal de mis sueños quemados.
Tampoco puedo negar el ansia que tengo por un hombre,
que nunca será mío.

Neva Altaj escribe apasionante romance de mafia contemporáneo sobre antihéroes dañados y heroínas fuertes que se enamoran de ellos. Tiene una debilidad por los alfas locos, celosos y posesivos que están dispuestos a quemar el mundo hasta los cimientos por su mujer. Sus historias están llenas de erotismo y giros inesperados, y un felices para siempre está garantizado en todo momento.

A Neva le encanta saber de sus lectores, así que no dudes en ponerte en contacto:

Sitio web: www.neva-altaj.com
Facebook: www.facebook.com/neva.altaj
TikTok: www.tiktok.com/@author_neva_altaj
Instagram: www.instagram.com/neva_altaj
Goodreads: www.goodreads.com/Neva_Altaj
BookBub: www.bookbub.com/authors/neva-altaj

FB Reader Group "Neva Altaj's Perfectly Imperfect Readers"